DELPHINE JEGOU
CÉDRIC VIAL

Crédits photos

De gauche à droite et de haut en bas

P. 7 : Syda Productions/Adobe Stock – P.8 : nerthuz/Adobe Stock ; karandev/Adobe Stock ; Photo KD/Adobe Stock ; stockone/Adobe Stock ; WavebreakmediaMicro/Adobe Stock ; Agence DER/Adobe Stock ; Durluby/Adobe Stock – P. 9 : Matthias Enter/Adobe Stock – P.10 : lil_22/Adobe Stock ; mimagephotos/Adobe Stock – P.12 : Chlorophylle/Adobe Stock ; pathdoc/Adobe Stock ; PR Image Factory/Adobe Stock ; byswat/Adobe Stock – P. 13 : Riccardo Piccinini/Adobe Stock – P. 14 Marine26/Adobe Stock ; jerome DELAHAYE/Adobe Stock ; Funny Studio/Adobe Stock – P. 15 : stokkete/Adobe Stock ; Darren Baker/Adobe Stock ; asierromero/Adobe Stock ; eranda/Adobe Stock ; shorty25/Adobe Stock ; torsakarin/Adobe Stock – P. 16 : Barbara Helgason/ Adobe Stock ; samott/Adobe Stock ; Dan Breckwoldt/Adobe Stock ; ingusk/Adobe Stock – P. 17 : Cookie Studio/Adobe Stock; eyetronic/Adobe Stock – P. 18 : digitalskillet1/Adobe Stock ; Delphotostock/Adobe Stock – P. 19 : Pathathai Chungyam/Adobe Stock ; Gelpi/Adobe Stock ; vvoe/Adobe Stock ; Neyro/Adobe Stock – P. 20 : kegfire/Adobe Stock ; kriss75/Adobe Stock ; gaelj/Adobe Stock ; s_l/Adobe Stock – P. 21 : Lucidio Studio, Inc @Getty images ; Liubov Levytska/ Adobe Stock ; Michael Gray/Adobe Stock ; Patricia W./Adobe Stock – P. 22 : fotografci/Adobe Stock ; Zarya Maxim/Adobe Stock ; Silvio/Adobe Stock – P. 23 : svetography/Adobe Stock – P. 24 : simoneminth/Adobe Stock – P. 25 : Anna Om/Adobe Stock ; cineberg/Adobe Stock ; Jeanette Dieti/Adobe Stock ; Neyriss/ Adobe Stock ; AcuaO/Adobe Stock ; Zlatan Durakovic/Adobe Stock – P. 26 : juancat/Adobe Stock ; Yanukit/Adobe Stock ; robnaw/Adobe Stock ; Jan H. Andersen/Adobe Stock ; Patryssia/Adobe Stock ; Mapics/Adobe Stock ; myrka/Adobe Stock ; a4stockphotos/Adobe Stock – P. 27 : Dragonimages/Adobe Stock – P. 28 : Kablonk Micro/Adobe Stock – P. 29 : oneinchpunch/Adobe Stock ; Viacheslav Iakobchuk/Adobe Stock ; Dmitry Lobanov/Adobe Stock ; BigLike Images/Adobe Stock – P. 30 : Stephane Cardinale - Corbis/Getty Images ; Tony Barson/Getty Images ; Bertrand Rindoff Petroff/Getty Images ; David Wolff-Patrick/Getty Images ; jagodka/Adobe Stock ; BillionPhotos.com/Adobe Stock ; Alcelvision/Adobe Stock ; rocketclips/Adobe Stock ; WavebreakMediaMicro/ Adobe Stock – P. 32 : HD ©Eric Catarina/GAMMA RAPHO; Stephane Cardinale - Corbis/Getty Images ; PETIT Philippe/Getty Images ; Julien Hekimian/Getty Images ; Marc Piasecki/Getty Images; P. 33 : Ladyalex/Adobe Stock ; pictworks/Adobe Stock ; Laurent Viteur/Getty Images ; Dd Wolff-Patrick/Getty Images ; Eric Catarina/Getty Images ; Karwai Tang/Getty Images – P. 34 : Robert Kneschke/Adobe Stock ; juhanson/Adobe Stock ; pixelliebe/Adobe Stock – P. 35 : adogslifephoto/Adobe Stock ; ALF photo/Adobe Stock – P. 39 : grafikplusfoto/Adobe Stock ; Maksimchuk Vitaly/Adobe Stock ; www.isselee.com/Adobe Stock; Oleg Kozlov/Adobe Stock - P. 40 : Gamma; Marc Ausset-Lacroix/Getty Images; Bertrand Rindoff-Petroff/Getty Images; Stephane Cardinale - Corbis/ Getty Images – P. 41 : shock/Adobe Stock; BrunoH/Adobe Stock; TORWAISTUDIO/Adobe Stock; rh2010/Adobe Stock; legabatch/Adobe Stock – P. 42 : Alexi Tauzin/Adobe Stock – P. 43 : Drobot Dean/Adobe Stock; michaeljung@163.com/Adobe Stock; tesphoto/Adobe Stock; Eléonore H/Adobe Stock; ekaterina_ belova/Adobe Stock; dennisvdwater/Adobe Stock – P. 44 : Jacob Lund/Adobe Stock – P. 45 : artifirsov/Adobe Stock ; Photobank/Adobe Stock; Gamut/Adobe Stock; DURIS Guillaume/Adobe Stock; Sergey Novikov (serrnovik) ripicts.com/Adobe Stock; BrunoWeltmann/Adobe Stock; Fred Marvaux/Getty Images – P. 47 : Feel/Adobe Stock; OlgaSaliy/Adobe Stock; zhukovvvlad/Adobe Stock; P. 48 : Andrey Kiselev/Adobe Stock; P. 49 : picsfive/Adobe Stock – P. 52 : Jacob Lund/Adobe Stock; olly/Adobe Stock – P. 53 : Valery Sharifulin/Getty Images ; Quinn Rooney/Getty Images ; Laurent Salino/Agence Zoom/Getty Images ; Stuart Franklin – FIFA/Getty Images – P. 54 : ake1150/Adobe Stock; Jan H. Andersen/Adobe Stock; goodluz/ Adobe Stock; FPWing/Adobe Stock; Iakov Filimonov/Adobe Stock – P. 55 : Africa Studio/Adobe Stock; P. 56 : etienne@vosk-praha.cz/Adobe Stock; Daniel Vincek/Adobe Stock; Tomboy2290/Adobe Stock; rangizzz/Adobe Stock; Mara Zemgaliete/Adobe Stock ; AlenKadr/Adobe Stock ; Swetlana Wall/Adobe Stock ; Andrei Kuzmik/Adobe Stock ; M.studio/ Adobe Stock ; koya979/Adobe Stock – P. 57 : NEJRON PHOTO/Adobe Stock ; by-studio/Adobe Stock; ZoneCreative/Adobe Stock; Gudrun/Adobe Stock; Mara Zemgaliete/Adobe Stock ; Volodymyr Shevchuk/Adobe Stock ; Andrey Bandurenko/Adobe Stock ; VALENTYN VOLKOV/Adobe Stock – P. 58 : Michael Gray/Adobe Stock – P. 59 : rgbspace/Adobe Stock ; ALF photo/Adobe Stock – P. 60 : stockcreations/Adobe Stock ;Rafael Classen – www.rclassen.de/Adobe Stock; kmit/Adobe Stock ; Ivonne Wierink/Adobe Stock ; Lsantilli/Adobe Stock ; Copyright 2015 Robyn Mackenzie/Adobe Stock ; BillionPhotos.com/Adobe Stock ; Jürgen Fälchle/Adobe Stock ; PHILETDOM/Adobe Stock ; ALF photo/Adobe Stock – P. 61 : WisnuTenaya/Adobe Stock ; 2008 Junglefrog Images/ Adobe Stock ; Sergey Novikov (SerrNovik) ripicts.com/Adobe Stock ; Daniel Ernst/Adobe Stock – P. 62 : Jan H. Andersen/Adobe Stock ; rh2010/Adobe Stock – P. 63 : stockcreations/Adobe Stock ; Olha/Adobe Stock ; M.studio/Adobe Stock ; FPWing/Adobe Stock ; Blue Wren/Adobe Stock ; ZoneCreative/Adobe Stock ; Tijana/Adobe Stock ; Liddy Hansdottir/Adobe Stock – P. 66 : seralex/Adobe Stock ; P. 67 : Valeriy Lebedev/Adobe Stock – P. 68 : kostrez/Adobe Stock ; ALF photo/Adobe Stock ; Martin Rettenberger, vertmedia.de/Adobe Stock ; laplateresca/Adobe Stock ; Richard Villalon/Adobe Stock ; Paulista/Adobe Stock – P. 69 : Mirko/Adobe Stock ; P. 70 : Zoé/Adobe Stock ; Kudrin Ruslan/Adobe Stock ; Caito/Adobe Stock ; fotosaga/Adobe Stock ; Tarzhanova /Adobe Stock ; Un-Branded (P4MM)/ Adobe Stock ; Olga/Adobe Stock ; Africa Studio/Adobe Stock ; Aaron Amat/Adobe Stock ; P. 71 : Naveephathana/Adobe Stock ; pathdoc/ Adobe Stock ; Ingus Evertovskis/Adobe Stock ; andersphoto/Adobe Stock ; JanDix/Adobe Stock ; Christophe Denis/Adobe Stock ; igorkol_ter/Adobe Stock ; vitaly tiagunov/Adobe Stock ; Mercedes Fittipaldi/Adobe Stock ; Lennartz/Adobe Stock ; jkphoto69/Adobe Stock ; janvier/Adobe Stock – P. 72 : kegfire/Adobe Stock ; Serge/Adobe Stock ; Gino Santa Maria/Adobe Stock ; Raisa Kanareva/Adobe Stock – P. 73 : LIGHTFIELD STUDIOS/Adobe Stock – P. 74 : Stéphane Masclaux/Adobe Stock – P. 75 : Monkey Business/Adobe Stock – P. 77 : Buyanskyy Dmytro/Adobe Stock ; Africa Studio/Adobe Stock ; Stéphane Masclaux/ Adobe Stock ; Aliaksei Kaponia/Adobe Stock – P.81 : Rock and Wasp/Adobe Stock ; teksomolika/Adobe Stock ; sveta/Adobe Stock ; NB/Adobe Stock ; Ruslan Kudrin/Adobe Stock – P. 82 : olga pink/Adobe Stock – P. 83 : EgoR/Adobe Stock – P. 84 : Andy Dean/Adobe Stock – P. 86 : Savvapanf Photo/Adobe Stock ; +16094357378/Adobe Stock ; Pat on stock/Adobe Stock ; Simon Biggar/Adobe Stock ; Yvann K/Adobe Stock – P. 87 : scibak/Adobe Stock ; Sascha Steinbach/ Adobe Stock ; Siraphatphoto/Adobe Stock p P. 88 : Fabio Palella Foto/Adobe Stock ; fotografia66/Adobe Stock – P. 89 : PixieMe/ Adobe Stock ; Boris Ryaposov/Adobe Stock – P. 90 : by-studio/Adobe Stock ; ArTo/Adobe Stock – P. 91 : Raisa Kanareva/Adobe Stock ; Anatoly Tiplyashin/Adobe Stock ; Africa Studio/Adobe Stock ; STUDIO GRAND OUEST/Adobe Stock ; Hugo Félix/Adobe Stock – P. 95 : Sabphoto/Adobe Stock ; torwaiphoto/Adobe Stock ; Antonioguillem/Adobe Stock ; MikeBiTa/Adobe Stock ; Junghee Choi 2010/Adobe Stock ; Dean Hindmarch/Adobe Stock ; Надежда Манахова/Adobe Stock ; archideaphoto/Adobe Stock ; Akaranan/Adobe Stock – P. 96 : Simon Coste/Adobe Stock ; Vasyl/Adobe Stock ; www.antoniogaudencio.com/Adobe Stock; mariesacha/ Adobe Stock ; CandyBox Images 2012/Adobe Stock ; P. 99 : Julien Hekimian/Adobe Stock ; Marc Piasecki/Adobe Stock ; Sylvain Lefevre/Adobe Stock – P. 100 : Daniel Wiedemann/Adobe Stock ; Brad Pict/Adobe Stock – P. 102 : Kira Nova/Adobe Stock ; bbbastien/Adobe Stock – P. 103 : http://www.ludmilafoto.ru/Adobe Stock; Tarzhanova/Adobe Stock ; per444inka/Adobe Stock

Direction éditoriale : Béatrice Rego
Édition : Brigitte Marie
Maquette : Dagmar Stahringer
Couverture : Miz'enpage
Mise en page : Isabelle Vacher
Enregistrements : Studio Bund
Vidéos : Lucentumdigital

ISBN : 978-209-038976-0

Dépôt légal : avril 2019
N° de projet : 10289846
Achevé d'imprimer en Novembre 2022 par Bona S.p.A. à Turin en Italie

Avant-propos

#LaClasse donne à la classe de français au lycée une dimension sociale active conçue pour motiver les adolescents d'aujourd'hui. L'ambition de ***#LaClasse*** est de rendre l'apprenant conscient du rôle du langage et de celui de la communication dans nos sociétés contemporaines. Cette méthode va permettre à l'apprenant d'acquérir l'autonomie nécessaire dans son utilisation du français ainsi que les outils indispensables (savoirs, savoir-faire et savoir-être) dans des contextes et des situations ordinaires ou imprévues de la vie sociale et culturelle française et francophone.

#LaClasse s'appuie sur les exigences du CECRL (Cadre européen commun de référence pour les langues) et se veut une méthode innovante dans sa démarche méthodologique. Les principes forts de la perspective actionnelle et de la médiation sont privilégiés à travers des « tâches » à accomplir dans les multiples contextes auxquels un apprenant est confronté. Les activités choisies mettent en jeu l'interaction et la médiation dans le cadre d'une pédagogie par projets déclinée dans chaque unité.

Les thématiques retenues pour le niveau A1 concernent l'environnement concret et immédiat des adolescents. Elles répondent à leurs intérêts et à leurs préoccupations : leur lieu d'habitation, leur famille, leurs amis, leurs activités de loisirs, leurs habitudes alimentaires ou vestimentaires. Les documents retenus se veulent ludiques, interactifs et résolument actuels, en lien avec les mouvances et tendances sociales et culturelles qui intéressent les jeunes francophones d'aujourd'hui. Dans cette perspective, les outils et les environnements du numérique sont largement exploités dans les tâches et les activités proposées.

Dans chaque unité, les quatre leçons constituent les étapes pour mener à bien le projet. On y retrouve un exemple de finalisation du projet ou de la mission à accomplir, un point culture pour un apport de connaissances sur la société française et la francophonie, des mises en situation présentant des « aléas » multipliant les contraintes et développant ainsi l'autonomie par rapport à la réussite du projet. Les outils de la langue reprennent l'ensemble de la composante linguistique (grammaire, phonétique, lexique) dans une progression en spirale de la grammaire. La page « Faisons le point » offre une activité de synthèse qui permet aux élèves de réinvestir l'ensemble des connaissances et des compétences étudié dans l'unité. Des entraînements au DELF sont proposés pour évaluer le niveau de progression intermédiaire de l'apprenant.

Le livre de l'élève est accompagné d'un **cahier d'activités** facilitant les activités de systématisation et de remédiation. Dans chaque unité, on trouvera également un portfolio et des pages « Apprendre à apprendre » qui proposent des stratégies d'apprentissage.

Le **guide pédagogique** propose aux enseignants, outre les consignes de mise en œuvre des projets et d'évaluation des activités, des pistes de réflexion sur les pratiques pédagogiques et la posture de l'enseignant en tant que médiateur du savoir, personne ressources, véritable interface entre l'élève et le monde qui l'entoure. Le guide propose également à l'enseignant des évaluations supplémentaires sans oublier les corrigés de toutes les activités et les transcriptions du livre de l'élève et du cahier d'activités.

#LaClasse propose un **environnement numérique** complet avec une version numérique individuelle qui permet à l'apprenant de travailler en autonomie et une version numérique pour la classe que l'enseignant pourra utiliser en vidéo-projection.

Nous vous souhaitons un excellent travail avec ***#LaClasse***.

Les auteurs

Tableau des contenus

Mode d'emploi

▸ Les pictogrammes

Activité de compréhension orale.
Le numéro correspond à la piste sur le DVD.

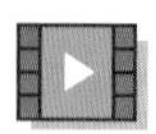

Vidéo

Activité à faire en binôme.

Activité à faire en petit groupe.

▸ L'ouverture

Les différentes étapes du projet sont annoncées.

Rappel du projet global du niveau.

Les objectifs de l'unité.

▸ Les leçons

Des vidéos intégrées dans les leçons, et exploitées directement dans les leçons.

Des encadrés « lexique » thématiques (en jaune).

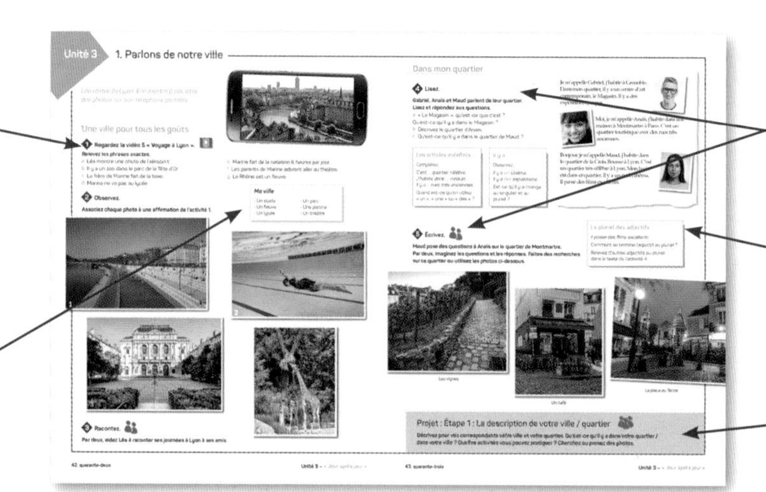

Les compétences à mettre en œuvre.

Des encadrés « grammaire » (en bleu) qui proposent des activités de découverte.

L'étape du projet.

▸ « Utilisons les outils de la langue »

Dans chaque unité, des pages outils dédiées :
- à la grammaire avec un approfondissement et des activités supplémentaires ;
- à la phonétique ;
- au lexique ;
- à un bilan de l'unité.

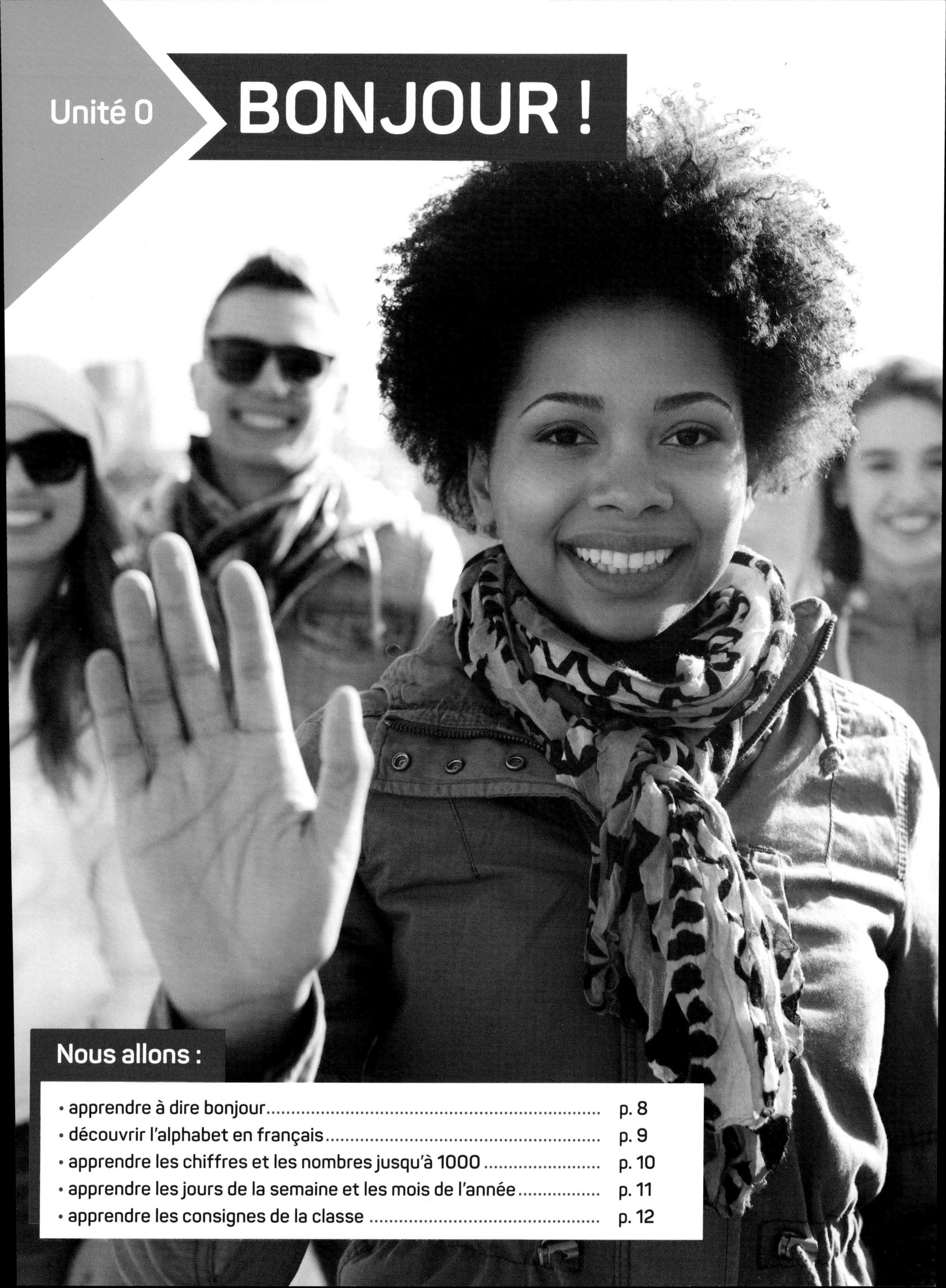

Unité 0

BONJOUR !

Nous allons :

Bonjour !

Salut !

 **Lisez.**

Identifiez les trois mots français pour saluer.

  **Observez.**

Vous connaissez ces mots ? Vous connaissez d'autres mots français ?
En petit groupe, créez une liste des mots que vous connaissez.

bus

café

baguette

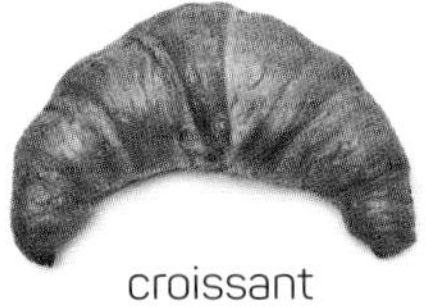
croissant

Les salutations

· Bonjour	· Au revoir
· Salut (*familier*)	· À demain

Attention ! Les Français utilisent « salut » pour dire bonjour et pour dire au revoir.

 **Écoutez.** 1

Associez les dialogues aux photos.

1

2

3

  **Parlez.**

Par deux, imitez un des dialogues de l'activité 3.

Demander comment ça va

· Comment ça va ?	· Très bien
· Tu vas bien ? (*amical*)	· Ça va bien
	· Ça va
	· Bof

L'alphabet

 **Écoutez.** 

Écoutez les lettres de l'alphabet et répétez.
Toutes les lettres sont identiques dans votre langue ?

A	B	C	D	E	F	G	H	I
Amanda	Bastien	Claire	David	Emma	Flore	Gabriel	Hugo	Inès
J	**K**	**L**	**M**	**N**	**O**	**P**	**Q**	**R**
Jérôme	Karim	Lou	Maxime	Noémie	Olivier	Paul	Quentin	Rebecca
S	**T**	**U**	**V**	**W**	**X**	**Y**	**Z**	
Samira	Tiffany	Ulysse	Valentine	Wilfried	Xavier	Yvan	Zoé	

 **Écoutez.** 

Écoutez et corrigez les erreurs.

Masime

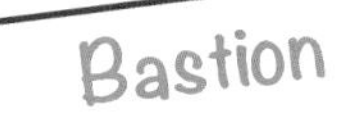

Flora

Gerome

Samina

 **Écoutez.** 

Écoutez et remettez les prénoms dans l'ordre.

1. O-U-L
2. R-I-M-K-A
3. L-P-U-A
4. É-Z-O

 **Dictez.** 

Dictez trois prénoms à un(e) camarade de classe. Épelez les lettres.
Votre camarade écrit les prénoms.
Vérifiez puis inversez les rôles.

Les chiffres et les nombres

1 Écoutez. 5

Écoutez les nombres de 0 à 20 et répétez.

0	zéro	11	onze
1	un	12	douze
2	deux	13	treize
3	trois	14	quatorze
4	quatre	15	quinze
5	cinq	16	seize
6	six	17	dix-sept
7	sept	18	dix-huit
8	huit	19	dix-neuf
9	neuf	20	vingt
10	dix		

2 Écoutez. 6

Écoutez et complétez.

21	vingt et un	41	...	79	..
22	vingt-deux	42	...	80	quatre-vingt**s**
23	vingt-trois	50	cinquante	81	quatre-vingt-un
24	vingt-quatre	60	soixante	82	...
25	vingt-cinq	70	soixante-dix	83	...
26	vingt-six	71	soixante et onze	90	quatre-vingt-dix
27	vingt-sept	72	soixante-douze	91	quatre-vingt-onze
28	vingt-huit	73	soixante-treize	92	quatre-vingt-douze
29	vingt-neuf	74	...	93	...
30	trente	75	...	100	cent
31	trente et un	76	...	101	cent un
32	trente-deux	77	soixante-dix-sept	200	deux cents
40	quarante	78	..	1000	mille

3 Écoutez. 7

Écoutez et écrivez les numéros de téléphone.

4 Parlez.

Dictez trois numéros à votre voisin(e).

Les jours de la semaine et les mois de l'année

Parlez.

Quels jours il y a cours de français ? Et cours d'anglais ?

Lundi	Mardi	Mercredi	Jeudi	Vendredi	Samedi	Dimanche
français	*anglais*	*français*	*anglais*	*français*	*week-end*	

Parlez.

Le week-end, c'est quels jours ?

Les jours de la semaine

- lundi
- mardi
- mercredi
- jeudi
- vendredi
- samedi
- dimanche

Les mois de l'année

- janvier
- février
- mars
- avril
- mai
- juin
- juillet
- août
- septembre
- octobre
- novembre
- décembre

Observez.

a. Quelle est la date d'anniversaire de Fred ? Et d'Erika ?

b. Qui est né le 11 novembre ?

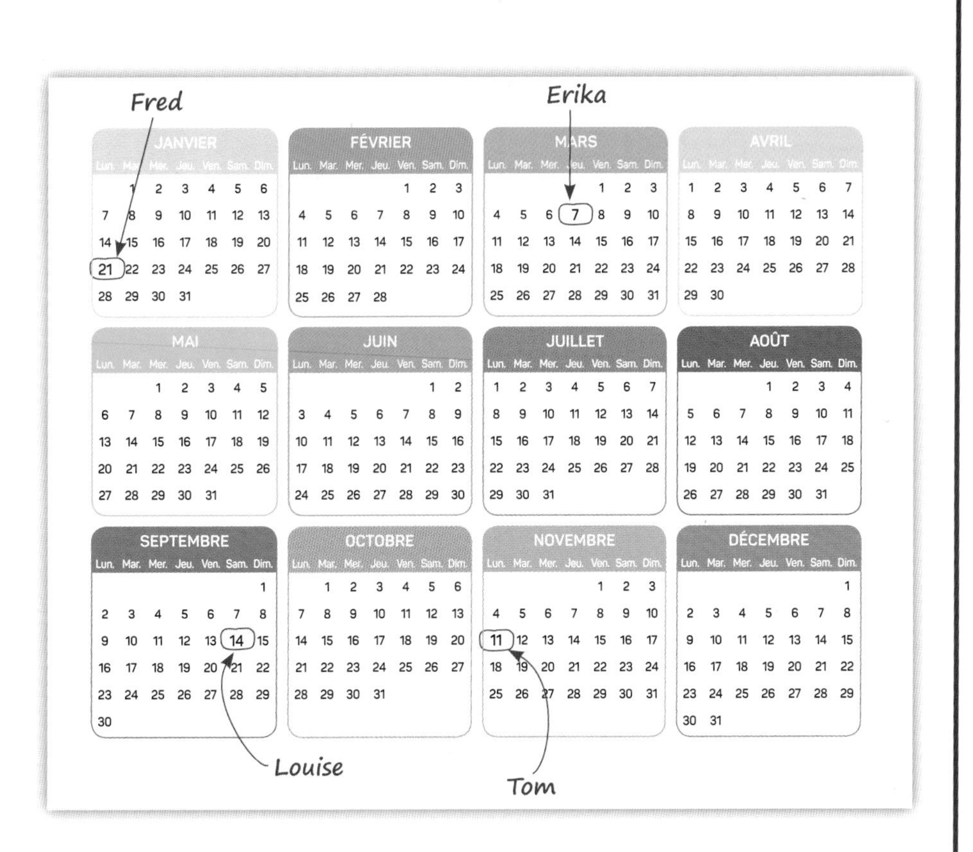

Associez.

Associez chaque fête à sa date. Vous pouvez faire des recherches sur Internet.

a. Jour de l'An
b. Fête du travail
c. Noël
d. Fête nationale
e. Saint Valentin

1. 1er mai
2. 14 juillet
3. 1er janvier
4. 25 décembre
5. 14 février

Écoutez. 

Écrivez les dates.

Parlez.

Dites trois dates importantes dans votre pays.

Unité 0 Bonjour !

Les consignes en classe

 Associez.

Associez les images à la consigne correspondante.

2

3

1

5

4

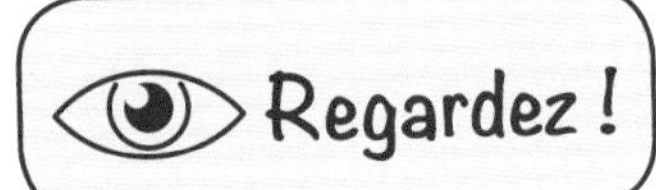

 Observez.

Classez les phrases dans le tableau.

Phrases pour le professeur	Phrases pour l'élève	Phrases pour le professeur et l'élève
...	...	...

a. Vous pouvez répéter, s'il vous plaît ?
b. Comment on dit « a house » en français ?
c. Vous pouvez parler plus lentement, s'il vous plaît ?
d. Ouvrez le livre page 20.
e. Comment ça s'écrit ?
f. Je ne comprends pas.
g. Mettez-vous par deux.
h. Mettez-vous en groupe.
i. Vous pouvez épeler s'il vous plaît ?
j. Je peux sortir, s'il vous plaît ?

Unité 1

TOI ET MOI

Projet

Prenons contact

Nous prenons contact avec nos futurs correspondants francophones.
Nous nous présentons. Nous parlons de nous. Nous posons des questions à nos correspondants. Nous complétons notre fiche de présentation et nous publions ces informations sur le mur virtuel de la classe.

Un mur virtuel

Nous allons :

1. Présentons-nous

Bienvenue Mario !

Léa présente son correspondant à ses amis Lucas et Killian.

 **Regardez la vidéo 1 « Salut, ça va ? ».** 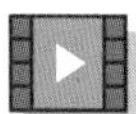

a. Associez les photos aux prénoms des adolescents.

Killian

Léa

Lucas

1

2

3

b. Relevez les phrases exactes.

a. Mario parle espagnol.
b. Il habite à Rome.
c. Killian habite à Montpellier.
d. Lucas parle français, anglais et italien.

Habiter à + ville

Observez :
Tu habites à Rome ?

Complétez :
Vous habitez ... Montpellier ?
Killian habite ... Montpellier.

Poser une question

Tu habites à Rome ?
Tu parles français ?

La voix monte (↑) ou descend (↓) ?

 **Complétez.**

1

Lucas
Ville : ...
Langues : français, ...
et allemand

2

Killian
Ville : Montpellier
Langues : ..., anglais
et ...

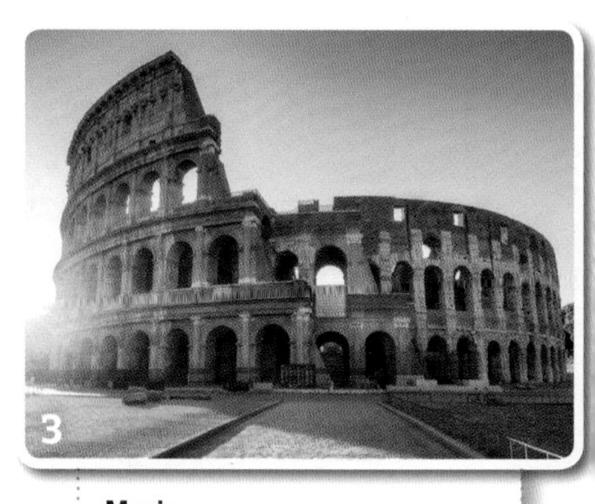

3

Mario
Ville : Rome
Langues : ..., anglais
et italien

 Parlez.

Comment vous vous appelez ? Vous habitez dans quelle ville ?

Les langues

- Le français
- L'anglais
- Le chinois
- L'arabe
- L'espagnol
- L'italien

Les correspondants de la classe

 **Lisez.**

Lisez les messages de présentation des correspondants de la classe.

a. Où habitent Sofia, Carlos, Liang et Xue ?
b. Qui parle trois langues ?
c. Qui parle français ?

Le verbe « s'appeler »

Je m'appelle Sofia
Comment tu t'appelles ?
Comment vous vous appelez ?

Bonjour !
Je m'appelle Carlos.
J'habite à Madrid. Je parle espagnol et français.
Au revoir.

Salut,
Je m'appelle Sofia. J'habite à Beyrouth. Je parle anglais, français et arabe.
À plus.

Bonjour !
Je m'appelle Liang et voici Xue. J'habite à Pékin et elle habite à Shanghai. Nous parlons français et chinois. Vous parlez chinois ?
À bientôt

Écoutez. 9

Pablo et Yara, les correspondants de Killian et de Lucas se présentent. Écoutez et présentez-les à la classe.

Les pronoms personnels sujets

Relisez les présentations de l'activité 4.
Complétez la liste des pronoms personnels.

Je	...
Tu	Vous
Il / ...	Ils /Elles

Le verbe « parler »

Complétez.

Je ...
Tu parles
Il / Elle ...
Nous ...
Vous parlez
Ils parlent

 **Écrivez.**

Choisissez un correspondant et écrivez sa présentation.

Projet - Étape 1 : Présentation 

Formez des groupes de 3 ou 4 personnes.
Présentez votre groupe. Donnez les noms et les prénoms.
Indiquez dans quelle ville vous habitez et quelles langues vous parlez.
Gardez votre travail pour la suite.

Vous pouvez rédiger, filmer ou enregistrer votre présentation.

2. Parlons de nous et de notre pays

Le français est une langue importante dans le monde.
Beaucoup de pays parlent ou utilisent le français.

Des pays francophones

1 Observez.

Le Canada
Capitale : Ottawa
Nombre d'habitants : 37 000 000.
Le Canada est un pays américain.
Les habitants parlent français et anglais.

La Suisse
Capitale : Genève
Nombre d'habitants : 8 600 000.
La Suisse est un pays européen. Les habitants parlent
4 langues : le français, l'allemand, l'italien et le romanche.

L'Égypte
Capitale : Le Caire
Nombre d'habitants : 77 300.
L'Égypte est un pays africain.
Les habitants parlent français et arabe.

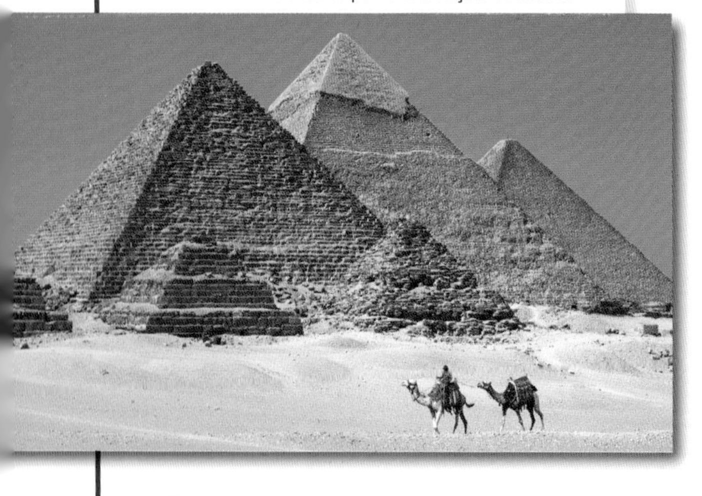

Les Seychelles
Capitale : Victoria
Nombre d'habitants : 94 700.
Ce pays est un archipel de l'océan indien.
Les habitants parlent français et anglais.

2 Répondez.

a. Quelle est la capitale du Canada ?
b. Quelles sont les langues en Suisse ?
c. Quel est le nombre d'habitants aux Seychelles ?
d. Quelles langues parlent les habitants de l'Égypte ?
e. Dans quels pays les habitants parlent français ?

3 Recherchez.

Cherchez un autre pays francophone. Écrivez une fiche de présentation. Présentez votre texte à la classe.

 **Répondez.**

Testez vos connaissances.

La francophonie et vous

1 : La capitale de la Belgique est…	**2 :** Les Canadiens parlent…	**3 :** Quel pays est francophone ?
a. Bruges. ❒	a. anglais et allemand. ❒	a. Le Laos ❒
b. Bruxelles. ❒	b. anglais et espagnol. ❒	b. La Chine ❒
c. Liège. ❒	c. anglais et français. ❒	c. La Russie ❒

Articles définis + pays

Observez.	Complétez.
• *La Suisse*	… Belgique
• *Le Canada*	… Liban
• *Les Seychelles*	… Comores
• *L'Égypte*	… Arménie

 **Interrogez.** 

Imaginez une question pour le quiz « La francophonie et vous ». Posez la question à votre voisin(e).

Gagnez un voyage !

 **Lisez.**

Fathia et Inès participent au grand jeu de la francophonie.

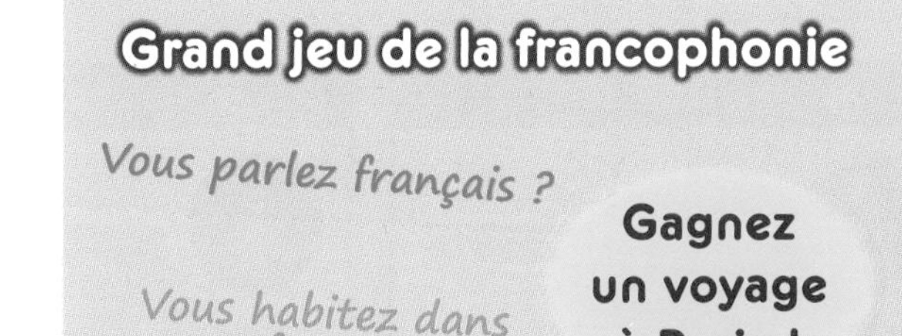

Bonjour,
Je m'appelle Fathia, j'ai 15 ans. Mon amie Inès a 17 ans.
Nous sommes au lycée et nous parlons français.
J'habite au Maroc et Inès habite aux Comores.
Nous désirons participer, c'est possible ?
A bientôt

a. Comment s'appellent les deux candidates ?
b. Elles ont quel âge ?
c. Elles habitent où ?
d. Elles parlent quelle langue ?

Habiter en / au / aux + pays

Observez.
La Suisse → J'habite en Suisse.

Complétez.
Le Maroc → J'habite … Maroc.
Les Comores → J'habite … Comores.

Le verbe « avoir » (1)

Complétez.
J'… 15 ans.
Elle … 17 ans.

7 Parlez.

Présentez deux autres candidats.
Charles : 16 ans-Brazzaville-Congo-français et anglais
Sandra : 18 ans-Nouméa-Nouvelle-Calédonie-français et japonais

 **Écoutez et répondez.** 

a. Où habitent Rabida, Ibrahim et Olivia ?
b. Ils ont quel âge ?

Projet – Étape 2 : Nous et notre pays 

Quel âge vous avez ? Comment s'appelle votre pays ? Quelle est la capitale ? Combien d'habitants il y a dans votre pays ? Quelles sont les langues officielles ? Répondez à ces questions et gardez votre travail pour la suite.

3. Demandons des informations

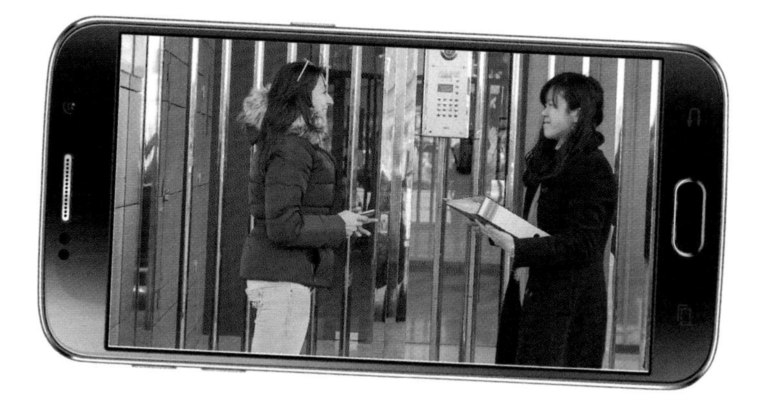

Une rencontre

Léa rencontre Lin dans la rue à Montpellier.

 **Regardez la vidéo 2 « Dans la rue ».** 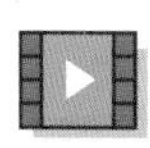

a. Répondez.

a. Comment s'appellent les deux filles ?
b. Dans quelle ville elles habitent ?
c. Quelle est la nationalité de Lin ? Et de Léa ?

b. Relevez les questions dans la vidéo.

c. Sélectionnez le profil correct.

 **Parlez.**

Présentez Lin à la classe.

> ***Les nationalités***
>
> Complétez.
> - Français → Française
> - Chinois → ...
> - Américain → ...
> - Tunisien → ...

> **Le verbe « être » (1)**
>
> Complétez.
>
> Je suis — Il / Elle ...
> Tu es — Vous êtes

Marseille, la ville melting-pot

 **Lisez.**

a. Quel âge a Myriam ?
b. Quelle est la nationalité de Samia ?
c. Quelle est la nationalité de la mère de Jordy ?

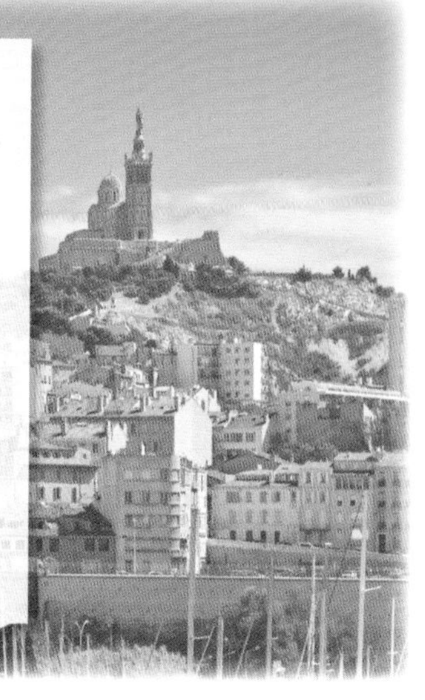

MARSEILLE, LA VILLE MELTING-POT

Zoom sur l'interview de Samia, Jordy et Myriam.

Comment vous vous appelez ?
Nous nous appelons Samia, Jordy et Myriam.

Quel âge vous avez ?
Samia et Jordy ont 17 ans. Moi, j'ai 16 ans.

Quelle est votre nationalité ? Vous êtes français ?
Non. Samia est française et marocaine, Jordy est mexicain et américain et je suis tunisienne. Ma mère est française et la mère de Jordy est américaine.

Quelles langues vous parlez ?
Nous parlons français, espagnol, anglais et arabe.

 **Écrivez.**

Un nouvel élève arrive dans la classe. Préparez des questions. Utilisez l'adjectif « quel ».

> **Le verbe « avoir » (2)**
>
> Complétez.
> Vous ...
> Nous avons
> Ils ...

> **L'adjectif interrogatif « quel »**
>
> Observez.
> *Quel âge vous avez ?*
>
> Complétez.
> ... est votre nationalité ?
> ... langues vous parlez ?

Origines

Lisez.

Anouchka poste un message. Minato et Julian lui répondent.

a. Où habite Anouchka ?
b. De quel pays vient Minato ? Et Julian ?
c. Quelle est la nationalité de Minato ?

Anouchka
Bonjour. Je m'appelle Anouchka. Je suis russe. J'ai 17 ans. Je viens de Moscou. Je suis nouvelle à Marseille. Et vous ?

Minato
Salut Anouchka. J'habite à Marseille et je m'appelle Minato.

Anouchka
Tu es français ?

Minato
Non, je ne suis pas français. Je viens du Japon.

Julian
Bonjour. Je m'appelle Julian. Je suis espagnol, je viens d'Espagne (je viens d'Alicante) et j'ai 16 ans.

Venir + ville

Observez.
Je viens de Moscou.

Complétez.
Je viens ... Alicante.

Venir + pays

Observez.
La Russie → Je viens de Russie.

Complétez.
Le Japon → Je viens ... Japon.
L'Espagne → Je viens ... Espagne.

Répondez.

Faites des phrases avec les informations suivantes pour présenter Anouchka, Minato et Julian.

a. Anouchka – Moscou – française – Russie.
b. Minato – Japon – russe – japonais.
c. Julian – français – Alicante – Espagne.

Écrivez.

Répondez à Anouchka.

Interrogez.

Vous réalisez un micro-trottoir. Préparez les questions. Votre camarade répond à partir des fiches suivantes.

Pietro : italien-Venise-Italie
Amy : anglaise-Manchester-Royaume-Uni
Bayani : philippin-Manille-Philippines

Écoutez.

Quelles sont les nationalités et les pays des personnes ?

Exemple :
Personne 1 : Brésilienne – Brésil

« Être » à la forme négative

Observez.
Je ne suis pas français.

Complétez.
Minato ... est ... français.

Projet – Étape 3 : Informations

Préparez des questions pour vos futurs correspondants (ville, nationalité, âge, etc.). Conservez votre travail pour la suite.

Utilisez des documents de cette page pour formuler les questions. Utilisez les points de grammaire de la leçon.

4. Complétons notre carte d'identité

La carte nationale d'identité et le permis de conduire sont des documents d'identité officiels en France.

PERMIS DE CONDUIRE RÉPUBLIQUE FRANÇAISE
Nom : DUPRET
Prénom : Maud
Adresse : 26, rue des Pins
31860 Villate
Date de naissance : 20/06/2000
Lieu de naissance : Quimper (France)
Signature :
)101DUPRET<SP7

BELGIQUE BELGIË BELGIEN BELGIUM
Nom : MORIN
Prénom : Adeline
Adresse : 19, place de la nation
1080 Bruxelles
Date de naissance : 07/12/2002
Lieu de naissance : Liège (Belgique)
Signature :

Qui êtes-vous ?

 Observez.

a. Quelle est la nationalité de Maud ?
b. Quelle est la ville de naissance d'Adeline ?
c. Quelle est l'adresse de Maud ?
d. Où habite Adeline ?

 Écrivez.

Individuellement, complétez une carte d'identité avec vos informations personnelles.

 Parlez. 

En groupe, classez les cartes par jour de naissance. Présentez le résultat à la classe.

Les informations personnelles

- Le nom
- Le prénom
- L'adresse (le numéro, le code postal, la ville)
- La date de naissance
- Le numéro de téléphone
- Le mail

Inscrivez-vous

 Observez.

Répondez aux questions sur l'affiche.

 Écoutez. 

Malika appelle le club des langues pour avoir des renseignements.

a. Quel âge a Malika ?
b. Malika est française ?
c. Malika habite à Brest ?

Le mail

@ *arobase*
. point
- tiret haut
_ tiret bas

 Interrogez. 

Vous téléphonez au club des langues pour vous inscrire. La réceptionniste vous pose des questions. Imaginez le dialogue.

 Complétez le formulaire.

Nom : ...
Prénom : ...
Date de naissance : ...
Nationalité : ...
Adresse : ...
Numéro de téléphone : ...
Mail : ...

8 Discutez.

C'est votre premier jour au club des langues. Vous rencontrez de nouvelles personnes. Imaginez le dialogue. Échangez vos noms, adresses, mails et numéros de téléphone.

> **Le verbe « être » (2)**
>
> Complétez.
> Vous êtes
> Nous sommes
> Ils / Elles ...

9 Parlez.

**Présentez vos camarades du club des langues.
Utilisez les verbes « être », « avoir » et « venir de ».**

3 – Elle – italienne.

1 – Ils – allemands – Berlin.

2 – Ils – Pérou – Lima.

4 – Elles – 16 ans. – Irlande.

10 Écrivez.

**Caroline et Laura sont deux nouvelles élèves.
Utilisez les éléments suivants pour les présenter.**

carol@lycee-brest.fr | 16 ans | Bogota | colombienne | française | 17 ans | 07-07-10-48-10 | lycéenne | Brest

11 Écoutez. (13)

Écoutez le dialogue. Relevez les phrases exactes.

a. Samuel et Ingrid sont hollandais.
b. Ils habitent à Brest.
c. Paco et Ismaël ne parlent pas français.
d. Ils sont espagnols.

PROJET

Prenons contact avec nos correspondants

- Reprenez votre travail des étapes 1, 2 et 3 et terminez le projet.
- Écrivez la présentation du groupe. N'oubliez pas d'inclure les questions pour les correspondants. Complétez une fiche de présentation (mail, numéro de téléphone, adresse, etc.) avec les données importantes.
- Utilisez des photos de vous pour illustrer la présentation.
- Publiez la présentation du groupe sur le mur virtuel de la classe.

Grammaire

Les prépositions avec les pays et les villes

▸ Observez

Lisez.

BONJOUR

	Farid	Bonjour, Je m'appelle Farid. J'ai 16 ans et j'habite à Djerba en Tunisie.
	Lara	Salut, Moi c'est Lara. Je suis italienne. J'ai 17 ans. J'habite à Paris mais je viens d'Italie.
	Dimitri	Moi je m'appelle Dimitri. Je suis russe mais j'habite aux États-Unis à Miami. Et vous ? Quel est votre nom ? Vous habitez où ?

2 Répondez.

a. Farid habite dans quelle ville ? b. Lara habite dans quelle ville ?
c. Dimitri habite dans quel pays ?

> **Les prépositions avec les pays et les villes**
>
> • *Pour indiquer sa ville de résidence :*
> à + ville → *J'habite à Strasbourg.*
>
> • *Pour indiquer son pays de résidence* on utilise : J'habite +
> en avec les pays qui terminent par -e → *J'habite en France.*
> aux avec les pays qui terminent par -s → *J'habite aux Philippines.*
> au pour les autres cas → *J'habite au Maroc.*
>
> **Attention !** On dit au Mexique, au Cambodge, au Zimbabwe et au Mozambique.
>
> • *Pour indiquer son pays de résidence* on utilise : Je viens +
> de avec les pays qui terminent par -e → *Je viens de Belgique.*
> d' avec les pays qui commencent par une voyelle → *Je viens d'Italie.*
> des avec les pays qui terminent par -s → *Je viens des États-Unis.*
> du pour les autres cas → *Je viens du Liban.*

▸ Appliquez

Écrivez.

Complétez les phrases avec les prépositions correctes.

a. J'habite ... Russie.
b. Je viens ... Algérie.
c. J'habite ... Seychelles.
d. Je viens ... Brésil.
e. J'habite ... Mexique.

Les articles définis

▸ Observez

> **Les articles devant les pays**
>
> La France (pays qui terminent par **-e**)
> L'Angleterre (pays qui commencent par une **voyelle**)
> Les Maldives (pays qui terminent par **-s**)
> Le Portugal (les autres pays)
>
> **Attention !** On dit le Mexique, le Cambodge, le Zimbabwe et le Mozambique.

▸ Appliquez

Complétez.

Complétez avec les articles corrects.

a. ... Chine
b. ... Inde
c. ... Irlande
d. ... Turquie
e. ... Mozambique
f. ... Albanie
g. ... Grèce
h. ... Boutan
i. ... Corée
j. ... Japon
k. ... Émirats Arabes Unis.

Les pronoms personnels

▸ Observez

> **Les pronoms personnels sujets**
>
> En français, le verbe est toujours accompagné d'un sujet ou d'un pronom personnel sujet.

Je	Nous
Tu	Vous
Il / Elle	Ils / Elles

▸ Appliquez

Écrivez.

Remplacez les prénoms par un pronom personnel.

Exemple : *Guillaume → Il*

a. Charles et Lucas →
b. Elsa →
c. Elisabeth et Sara →
d. Franck →
e. Amaury et moi →

« Être » et « avoir »

▶ Observez

Les verbes « être » et « avoir »
(Tableau de conjugaison page 112)

- On utilise « être » avec les nationalités.
Je suis belge.
- On utilise « avoir » pour indiquer l'âge.
J'ai 15 ans.

6 Complétez.

Complétez les phrases avec « être » ou « avoir ».

a. Tu ... italienne.
b. Il ... allemand.
c. Elle ... espagnole.
d. Nous ... français.
e. Vous ... canadienne.
f. Ils ... russes.

a. Tu ... 18 ans.
b. Elle ... 20 ans.
c. Il ... 15 ans.
d. Nous ... 16 ans.
e. Vous ... 19 ans.
f. Elles ... 17 ans.

▶ Appliquez

Complétez.

Complétez les phrases avec « être » ou « avoir » conjugué.

a. Je ... français et j' ... 17 ans.
b. Nous ... 20 ans.
c. Elle ... italienne. Elle ... 18 ans.
d. Vous ... russe ?
e. Elles ... 16 ans.

Les verbes en « er »

▶ Observez

Le verbe « parler »

Le verbe parler est régulier (comme presque tous les verbes en -er).

Formation : on remplace –er par –e, -es, -e, -ons, -ez, -ent.

▶ Appliquez

Conjuguez.

Conjuguez le verbe « parler ».

a. Il ... français et anglais.
b. Nous ... espagnol.
c. Vous ... grec ?
d. Je ... russe.
e. Elles ... français.

L'adjectif « quel »

▶ Observez

L'adjectif interrogatif « quel »

Quel s'accorde avec le substantif auquel il se réfère.

	MASCULIN	FÉMININ
SINGULIER	*quel*	*quelle*
PLURIEL	*quels*	*quelles*

▶ Appliquez

Écrivez.

Complétez les phrases suivantes avec :
quel – quelle – quels – quelles.

a. ... est ton nom ?
b. ... est votre nationalité ?
c. ... langues vous parlez ?
d. ... est votre ville de naissance ?
e. .... sont les pays francophones en Afrique ?

Parlez. 

Par deux, écrivez 4 questions. Posez les questions à un élève de la classe.

La phrase négative

▶ Observez

La phrase négative

Ne / N' + Verbe + pas

Je parle français mais je ne parle pas chinois.
Je n'habite pas en France, j'habite au Mali.

▶ Appliquez

Écrivez.

Écrivez les phrases à la forme négative.

a. Je suis argentin.
b. Nous habitons à Quimper.
c. J'ai 15 ans et je parle français.
d. Elles habitent en Russie et elles ont 18 ans.

12 Écrivez.

Transformez les phrases de l'activité 1 p. 22 à la forme négative

Phonétique

L'intonation

 1 Écoutez et observez.  14

Écoutez les deux phrases. Dans quelle phrase la voix monte ?

– Tu es française.
– Tu es française ?

Dans la première phrase, **la voix descend.** C'est une **affirmation**.
Dans la deuxième phrase, **la voix monte**. C'est une **question**.

 2 Écoutez.  15

Écoutez les phrases suivantes et levez la main quand la voix monte.

a. Je suis français.
b. Vous habitez en Espagne ?
c. Elle parle anglais ?
d. Elles habitent à Vancouver.
e. Tu as 16 ans ?

 3 Écoutez.  16

Écoutez les phrases suivantes et dites si la voix descend (↘) ou monte (↗).

	(↘)	(↗)
a.	X	
b.		
...		

 4 Écoutez et répétez.  17

Écoutez les phrases suivantes et répétez.

a. Vous parlez français ?
b. Nous ne sommes pas belges.
c. Elle est italienne ?
d. Ils ont 20 ans.
e. Il habite à Paris ?

 5 Lisez. 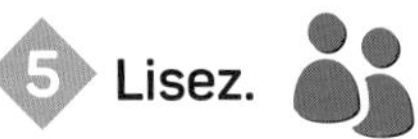

Par deux, lisez les phrases suivantes.

a. Tu es japonais. / Tu es japonais ?
b. Elle a quinze ans. / Elle a quinze ans ?
c. Il parle français / Il parle français ?
d. Vous habitez à Lille. / Vous habitez à Lille ?

 6 Écoutez.  18

Écoutez et signalez le mot où la voix monte.

a. Vous êtes français ?
b. Où on parle français ?
c. Vous avez quel âge ?
d. Qui est français dans la classe ?
e. Vous habitez où ?

 7 Écrivez. 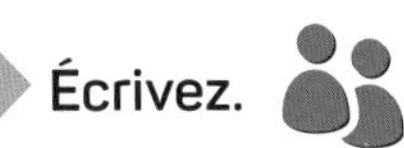

Écrivez 5 questions. Posez les questions à votre voisin(e).

 8 Lisez. 

Par deux, lisez le dialogue suivant puis inversez les rôles.

– Allô ?
– Salut, comment ça va ?
– Sarah ? C'est Jamel. Tu vas bien ?
– Jamel ?
– Oui. Jamel.
– Je ne suis pas Sarah. Je m'appelle Karine.
– Ah bon ? Désolé. C'est une erreur.

Lexique

Utilisons les outils de la langue

Complétez.

Complétez les dialogues avec les mots suivants :

Bonjour – Salut – À demain – Au revoir.

a. Bonjour Solène, vous allez bien ?
... madame. Ça va bien merci, et vous ?

b. Au revoir, Adrien.
..., monsieur.

c. Salut Julien. À demain !
... Lucas.

d. Salut Marie. Ça va ?
..., bof et toi ?

Répondez.

Quelle langue on parle dans chaque pays ?

Allemagne ? Japon ?
États-Unis ? France ?
Chine ? Mexique ?

Écrivez.

Écrivez le féminin ou le masculin de chaque nationalité.

MASCULIN	FÉMININ
Anglais	...
...	Vietnamienne
Allemand	...
Français	...
...	Belge
Coréen	...
...	Espagnole

Associez.

Associez chaque photo au nom correct.

le passeport

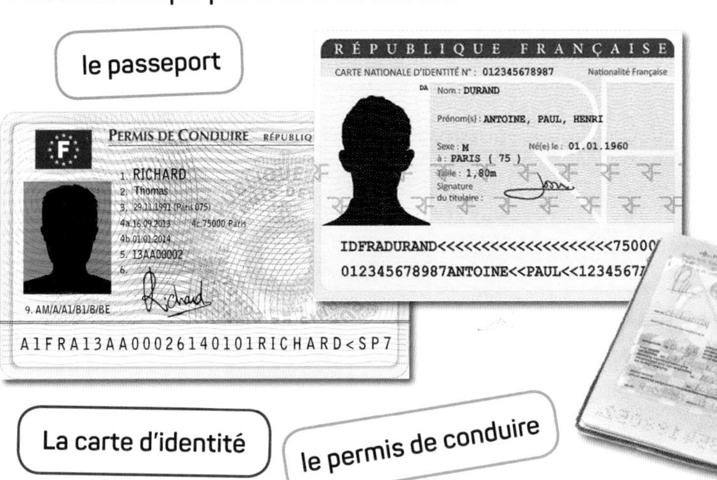

La carte d'identité

le permis de conduire

Complétez.

Complétez les fiches avec les mots suivants :

Nom – Prénom – Adresse – Numéro de téléphone – Nationalité

Nom : Almaq
Prénom : Jasmine

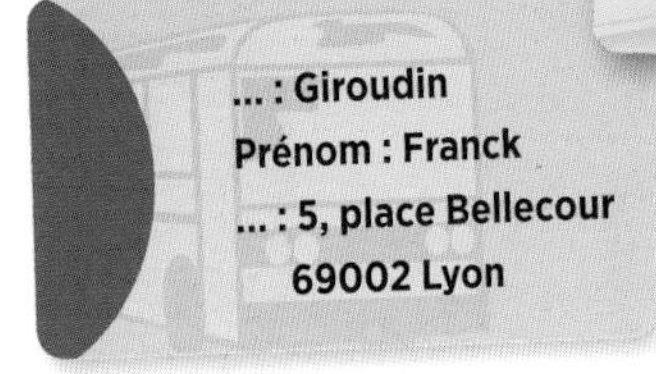

Écrivez.

Écrivez les numéros de téléphone en lettres.

a. 06 – 15 – 58 – 68 – 57
b. 04 – 27 – 16 – 65 – 34
c. 05 – 51 – 20 – 12 – 02

Parlez. 

Inventez trois autres numéros de téléphone et dictez-les à la classe.

Unité 1 Faisons le point

Voici plusieurs adolescents francophones. Choisissez un adolescent.
Imaginez son nom, son prénom, son âge, sa nationalité et le pays où il habite.
Écrivez sa présentation puis lisez-la à la classe.

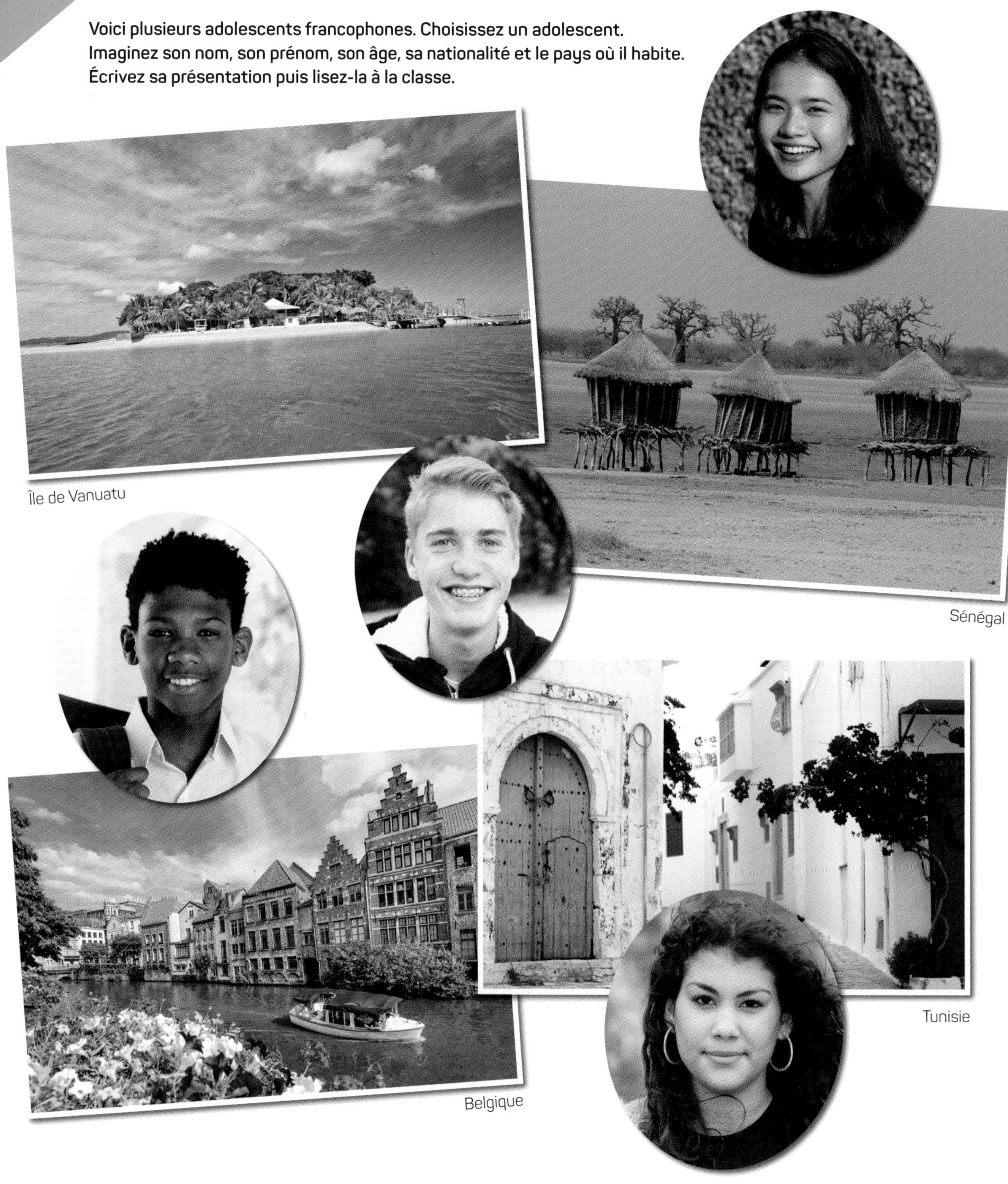

Île de Vanuatu

Sénégal

Tunisie

Belgique

Unité 2

C'EST LA FAMILLE !

Projet

Présentons notre famille

Un mur virtuel

Nous présentons les différents membres de notre famille, nous donnons leur âge, leur profession, faisons leur description physique et donnons des traits de caractères de ces personnes. Nous publions la présentation de notre famille sur le mur virtuel de la classe pour nos correspondants.

Nous allons :

1. Présentons notre famille

Aujourd'hui, c'est jour de mariage.
Le photographe essaie de réunir la famille autour des mariés pour faire une photo souvenir.

Mon père, ma mère, mes frères et mes sœurs

Regardez la vidéo 3 « La photo de mariage ». 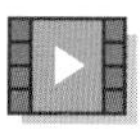

Relevez les phrases exactes.

a. Le marié est fils unique, il n'a pas de sœur.
b. Lucas est le cousin de la mariée.
c. Louise est la sœur de la mariée.
d. La grand-mère de la mariée a 88 ans.

Les membres de la famille

- Les parents : le père – la mère
- Les enfants : le fils – la fille – le frère – la sœur
- Les grands-parents : la grand-mère – le grand-père
- Le cousin – la cousine

2 Observez.

Louise envoie des photos du mariage de sa sœur.
Complétez les légendes.

Les adjectifs possessifs (1)

Elle, c'est ma grand-mère.
Voici mes parents.
Mon petit frère et moi.

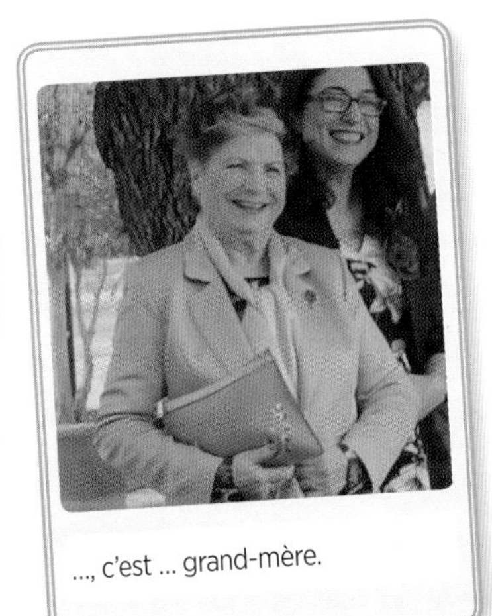

..., c'est ... grand-mère.

1

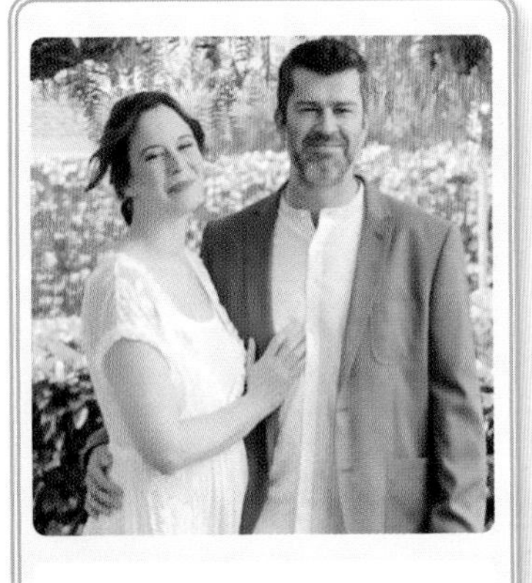

Au mariage de ... sœur.

2

..., c'est le père du marié.

3

Photos de famille

Lisez.

a. Relevez les phrases exactes.

a. Ils sont 5 dans la famille de Karim.
b. Karim n'a pas de sœur.
c. La mère de Karim s'appelle Rachida.
d. Le frère de Karim s'appelle Nasser.

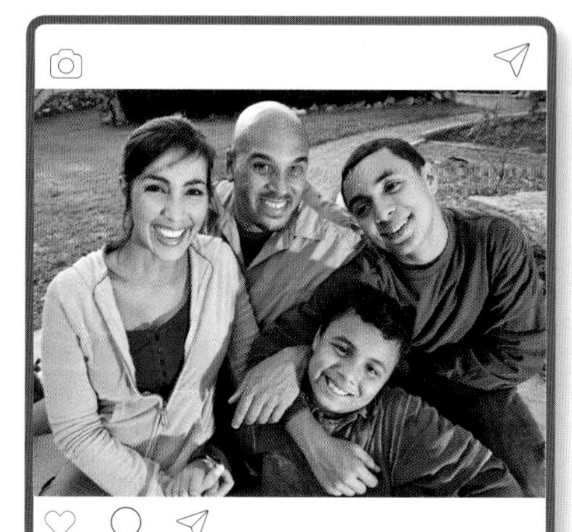

Karim : #famille : Voici mes parents. Lui, mon père, c'est Nasser, elle, c'est ma mère Rachida. Là, c'est mon petit frère et moi.

Les pronoms toniques

Observez.
Elle, c'est ma mère.

Complétez.
..., c'est mon père.

Fêtes de famille

 Écoutez et complétez. 

	Dialogue 1	Dialogue 2
Evénement	anniversaire	...
Nom	...	...
Âge	...	...

 Observez et répondez.

Qui est la femme sur l'affiche ? Est-ce qu'elle a des enfants ? Des petits-enfants ? Imaginez sa famille.

 Écrivez.

Présentez la famille de Manon comme sur la première photo.

Voici sa grand-mère. Elle s'appelle Françoise et elle a 78 ans.

Le grand-père, 85 ans

Le petit frère, 7 ans.

La cousine, 28 ans.

  Parlez.

Apportez une photo de votre famille. Votre voisin vous pose des questions et vous présentez ensuite votre famille à toute la classe. Utilisez les adjectifs possessifs et les pronoms toniques.

Projet : Étape 1 : Un arbre généalogique 

Travaillez en petits groupes.
Faites chacun un arbre généalogique de votre famille. Écrivez quelques phrases pour présenter votre famille. Donnez les prénoms, les âges, les liens de parenté.

Vous pouvez dessiner à la main votre arbre généalogique ou chercher un logiciel pour le faire sur l'ordinateur.

2. Découvrons des professions

En famille

1 Lisez.

***En famille* est une série télévisée française. Elle raconte les aventures de la famille Le Kervelec.**

a. Quelle est la profession de Marjorie ?

b. C'est le père d'Hugo et de Diego, quelle est sa profession ?

La famille Le Kervelec se compose des grands-parents Jacques et Brigitte, de leurs filles, Marjorie et Roxane, et de leurs petits-enfants. Marjorie est la mère de Chloé et Antoine, elle est infirmière.
Roxane est en couple avec Kader, il est commercial. Ils ont deux enfants, Hugo et Diego.
Pupuce est le chien de la famille.

2 Écrivez.

Faites l'arbre généalogique de la famille Le Kervelec.

3 Observez. Qui est-ce ?

a. Elle travaille dans un hôpital.
b. Il vend des voitures.
c. Il travaille dans un lycée.
d. Elle travaille dans un tribunal.

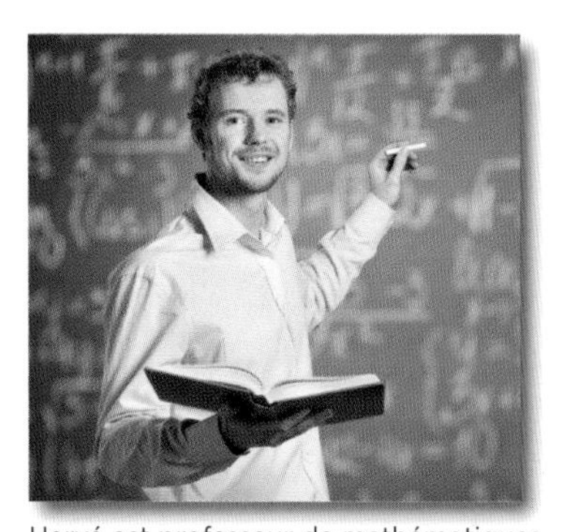

Hervé est professeur de mathématiques.

Nadia est avocate.

Être + article zéro / profession

Elle est infirmière.

Relevez d'autres phrases avec des professions.

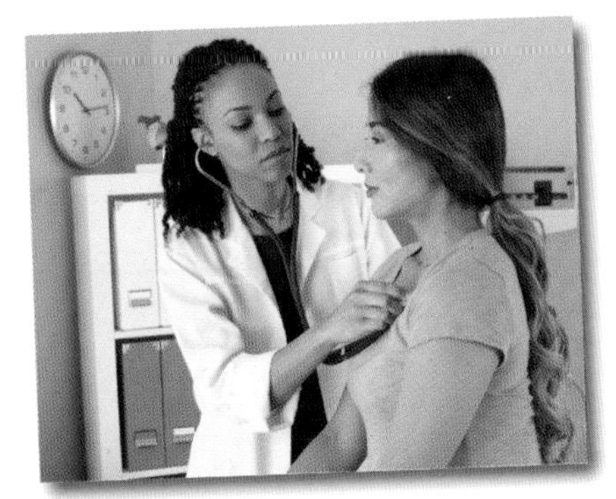

Anne est médecin.

Sébastien est commercial.

Ma série préférée

 **Lisez.**

Des jeunes discutent sur un forum d'émissions francophones.

a. Relevez les phrases exactes.

a. Dans la série *Soda*, Adam a une petite sœur.
b. La série *Ruptures* est une série française.
c. *Stade 2* est une émission sur le sport.

b. Répondez aux questions.

a. Quelle est la profession de Kev Adams ?
b. Quelle actrice joue la mère de Ludo dans la série *Soda* ?
c. Qui interviewe les sportifs dans *Stade 2* ?

Paul
Je cherche des séries francophones. Vous avez des idées ?

Manu
La série *Soda*, c'est l'histoire d'Adam, un adolescent, de ses 2 meilleurs amis Slimane et Ludovic et de sa petite sœur Eve.

Elsa et Mathilde
Nous, nous regardons aussi *Soda*, c'est une super série avec l'acteur Kev Adams. Il y a aussi l'actrice Isabelle Nanty, elle joue la mère de Ludo dans la saison 3.

Nicolas
Moi, j'aime *Ruptures*, c'est une série canadienne. C'est l'histoire d'une avocate, Ariane Beaumont.

Anaïs
Moi, je ne regarde pas de séries. Je regarde *Stade 2*, des journalistes interviewent des sportifs.

 **Parlez.** 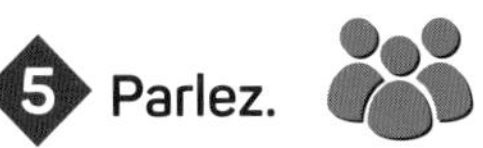

Observez l'affiche de *Soda*. Recherchez d'autres informations sur la famille d'Adam. Présentez la famille.

Christophe Charzat / CALT Production / Adams Family

 **Écrivez.**

Participez au forum. Est-ce que vous connaissez ces séries ? Qu'est-ce que vous aimez ? Présentez une série en une ou deux phrases.

Projet – Étape 2 : La présentation d'une profession 

Présentez la profession d'un membre de votre famille. Faites des recherches sur cette profession. Rédigez une petite présentation. Gardez votre travail pour plus tard.

Le féminin des professions

Observez.
Il est avocat / Elle est avocate.
Il est acteur / Elle est actrice.
Il est journaliste / Elle est journaliste.

Que remarquez-vous ?

3. Faisons une description physique

Léa et Louise regardent un magazine people. Elles parlent des chanteurs et décrivent physiquement les artistes.

C'est qui ?

 **1 Regardez la vidéo 4 « People magazine » et répondez.** 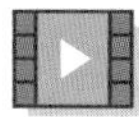

a. Qu'est-ce que Léa et Louise regardent ?

b. Quelles sont les professions de Sandy ?

 **2 Observez.**

Lisez et associez les descriptions aux photos.

a. Elle est chanteuse. Elle est grande, mince, brune. Elle a les yeux noirs.
b. Il est très grand, il est brun et il a une barbe. Il a les cheveux bouclés.
c. Elle est chanteuse. Elle est blonde. Elle a des tatouages.

La description physique

- Être petit(e) / grand(e) / mince
- Avoir les yeux bleus / noirs / verts
- Être brun(e) / blond(e)
- Avoir les cheveux bouclés / longs / courts
- Avoir une barbe / des lunettes / des tatouages

Cœur de Pirate

Zazie

Teddy Riner

  **3 Parlez.**

Décrivez l'une de ces personnes célèbres à vos camarades.

Bigflo

Louane

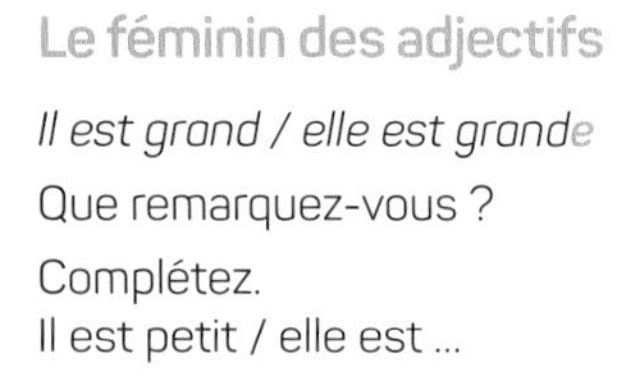
Le féminin des adjectifs

Il est grand / elle est grande

Que remarquez-vous ?

Complétez.
Il est petit / elle est ...

 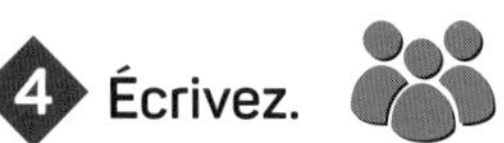 **4 Écrivez.**

Décrivez-vous. Lisez votre texte à la classe.

Nos correspondants

 **Observez.**

Lisez puis identifiez Marina.

Questionnaire

- Comment tu t'appelles ? .....*Marina*.......
- Est-ce que tu parles ☑ anglais ? ☐ italien ?
- Est-ce que tu es ☑ petit / petite ? ☐ grand / grande ?
- Est-ce que tu es ☑ blond / blonde ? ☐ brun / brune ? ☐ châtain ?
- Est-ce que tu as les cheveux ☐ courts ? ☑ longs ?
- Est-ce que tu as des lunettes ? ☑ oui ☐ non
- Est-ce que tu as des tatouages ? ☐ oui ☑ non
- Tes yeux sont ☑ bleus ? ☐ verts ? ☐ noirs ? ☐ marron ?
- Qu'est-ce que tu préfères ? ☑ le français ☐ les mathématiques ☐ le sport

1

2

 **Parlez.** 

Choisissez une personne de votre classe. Vos camarades posent des questions pour deviner qui c'est.

Exemple : *Est-ce qu'il /elle a des lunettes ?*

L'interrogation avec « Est-ce que » et « Qu'est-ce que... ? »

Relevez les questions du questionnaire.

Quelles réponses sont possibles pour une question avec *Est-ce que ?*

Comparez avec *Qu'est-ce que ?*

Concours radio

 **Écoutez.** 

Vous écoutez un jeu concours à la radio. Le journaliste pose des questions.

a. Quel est le prix à gagner ?

b. Complétez les informations sur chaque artiste.

PRÉNOM	ANGELINA
PROFESSION	Actrice
NATIONALITÉ	...
TAILLE	...
CHEVEUX	...
YEUX	...
SIGNE PARTICULIER	...

Projet – Étape 3 : La description physique d'un membre de notre famille

Réalisez en petits groupes une fiche-questionnaire.
Rédigez des questions pour avoir des informations sur la description physique.
Complétez cette fiche pour une personne de votre famille.
Gardez votre fiche complétée pour la suite.

4. Décrivons le caractère

Ils sont comment ?

 **Lisez.**

**Emilie et Manon font un séjour linguistique. Elles décrivent leurs familles.
Lisez leurs messages et répondez aux questions.**

a. Comment est le père de la famille anglaise ? Comment est la mère ?

b. Comment sont les enfants de la famille d'Émilie ? Et le chien ?

Émilie

Moi, je suis dans une famille australienne. Les parents sont gentils et les 2 enfants sont cool et sympas. Ils ont un chien, il est bête mais gentil.

Manon

Moi je suis en Angleterre. Le père est antipathique et la mère est gentille. Ils ont un chat très drôle.

 **Associez.**

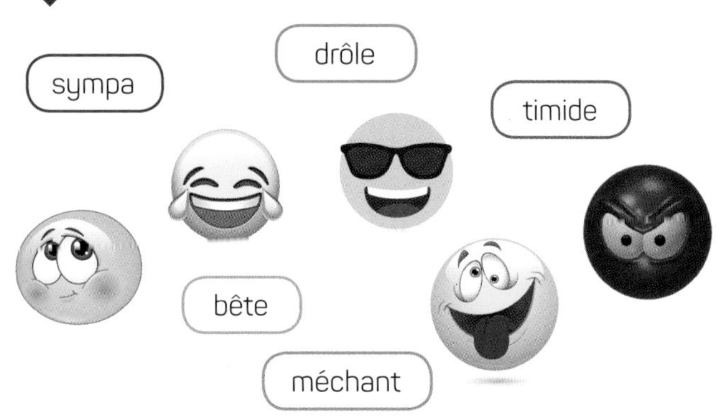

 **Classez.**

Classez les adjectifs en positif ou négatif.

bête – drôle – gentil – sympa – antipathique

 **Parlez.** 

Décrivez votre caractère.

 **Écoutez.** 

**Trois jeunes décrivent une personne de leur famille.
Relevez les phrases exactes.**

a. La mère du premier jeune est timide.
b. La mère du premier jeune est infirmière.
c. Le grand-père du deuxième jeune est antipathique.
d. La sœur du troisième jeune est timide.
e. Le frère du troisième jeune est drôle

Une famille sympa

 **Observez.**

La famille Leduc propose d'accueillir un jeune pour un séjour linguistique. Répondez aux questions.

a. Est-ce que les enfants Leduc sont timides ?
b. Qui est méchant : le chat ou le chien ?
c. Quelle est la nationalité de la famille Leduc ?
d. Comment s'appelle le chat de la famille Leduc ?

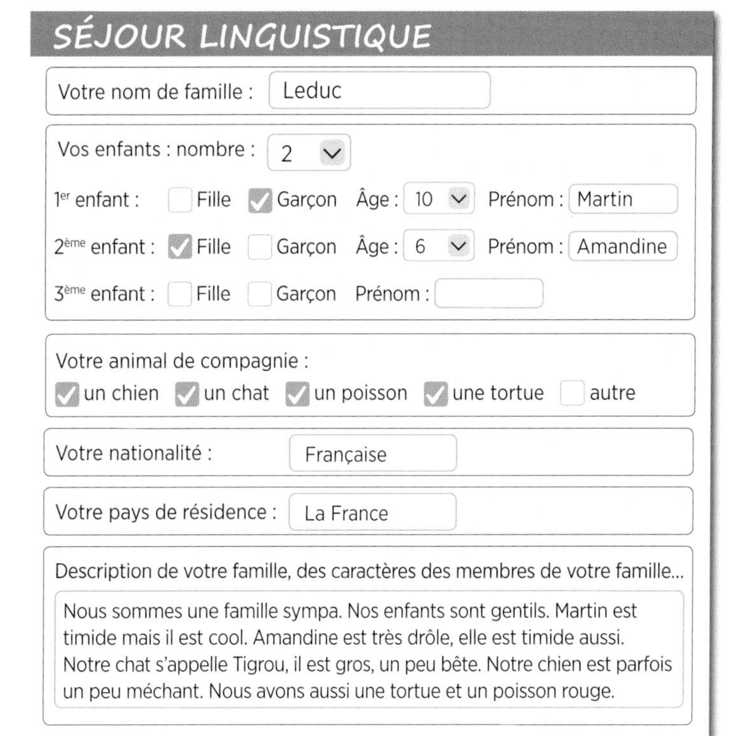

SÉJOUR LINGUISTIQUE

Votre nom de famille : Leduc

Vos enfants : nombre : 2

1er enfant : ☐ Fille ☑ Garçon Âge : 10 Prénom : Martin

2ème enfant : ☑ Fille ☐ Garçon Âge : 6 Prénom : Amandine

3ème enfant : ☐ Fille ☐ Garçon Prénom :

Votre animal de compagnie :
☑ un chien ☑ un chat ☑ un poisson ☑ une tortue ☐ autre

Votre nationalité : Française

Votre pays de résidence : La France

Description de votre famille, des caractères des membres de votre famille...

Nous sommes une famille sympa. Nos enfants sont gentils. Martin est timide mais il est cool. Amandine est très drôle, elle est timide aussi. Notre chat s'appelle Tigrou, il est gros, un peu bête. Notre chien est parfois un peu méchant. Nous avons aussi une tortue et un poisson rouge.

Les adjectifs possessifs (2)

Votre chien.
Nos enfants.

Relevez tous les adjectifs possessifs dans le document.

Quand est-ce qu'on utilise « notre » et « votre » ?
Quand est-ce qu'on utilise « nos » et « vos » ?
Expliquez la différence d'emploi.

 **Écrivez.**

Transformez et complétez la description de la famille Leduc : *Vous êtes une famille sympa ...*

Les articles définis

Le père
La mère
Les parents

On utilise le pour un substantif masculin singulier.

Complétez :
On utilise la pour... *On utilise les pour...*

 **Recherchez.** 

Recherchez d'autres animaux de compagnie et présentez-les à la classe.

Les animaux de compagnie

- Un chien
- Une tortue
- Un chat
- Des poissons

PROJET

Nous présentons notre famille

- Reprenez votre travail des étapes 1, 2 et 3 et ajoutez l'étape 4.
- Étape 4 : Faites la liste des adjectifs de caractère de la leçon. Sélectionnez les adjectifs correspondant à chaque membre de votre famille.
- Présentez votre famille. Pour chaque personne de votre famille, donnez un maximum d'informations : le prénom, l'âge, la profession, la description physique, les traits de caractère.
- Attention ! Vous devez faire une présentation spontanée de votre famille. Ne lisez pas votre texte.

Les adjectifs possessifs

▶ Observez

Les adjectifs possessifs

Possesseur	Masculin singulier	Féminin singulier	Masculin / féminin pluriel
Je	Mon père	Ma mère	Mes parents
Tu	Ton frère	Ta grand-mère	Tes cousines
Il/ Elle	Son frère	Sa sœur	Ses enfants
Nous	Notre fils	Notre fille	Nos enfants
Vous	Votre grand-père	Votre grand-mère	Vos grands-parents
Ils / Elles	Leur cousin	Leur cousine	Leurs parents

L'utilisation de l'adjectif possessif dépend de la personne qui possède mais aussi du genre et du nombre du sujet possédé.

▶ Appliquez

1 Regardez la famille de Boule et choisissez pour chaque phrase le bon adjectif possessif.

a. Pierre est le papa de Boule, c'est son / sa papa.
b. Caroline est la tortue de Boule, c'est sa / son tortue.
c. Boule dit : « Bill est mon / ma chien ».
d. Carine est la maman de Boule, c'est sa / son maman.

2 Choisissez le mot correct.

a. Mon (*chien* / *tortue*) s'appelle Vivaldi.
b. Vos (*cousins* / *père*) habitent à Paris.
c. Comment s'appelle sa (*chanteur* / *chanteuse*) préférée ?
d. Notre (*famille* / *familles*) est très grande.

Les pronoms toniques

▶ Observez

Les pronoms toniques

Les pronoms toniques servent à insister sur la personne.
On utilise aussi les pronoms toniques après des prépositions. (avec moi, avec elle, pour lui, pour nous…)

Pronoms personnels sujets	Pronoms toniques
Je	Moi
Tu	Toi
Il / Elle	Lui / Elle
Nous	Nous
Vous	Vous
Ils / Elles	Eux / Elles

▶ Appliquez

3 Relevez les pronoms toniques dans ces 3 phrases.

a. Lui, c'est mon père, il est médecin.
b. Elle, elle est chanteuse.
c. Nous, nous sommes les cousins de Tom.

Être + profession

▶ Observez

Être + article zero / profession

Elle est hôtesse de l'air. – Il est documentaliste.
Devant une profession, on ne met pas d'article.

▶ Appliquez

4 Associez pour former des phrases.

Il est •	• comédienne
Elle est •	• médecins
Ils sont •	• acteur

Utilisons les outils de la langue

Le féminin des professions

▶ Observez

Le féminin des professions

En général pour former le féminin d'une profession, on ajoute un « e ».
*Il est professeur / elle est professeur**e**.*
*Il est commercial / elle est commercia**le**.*

Pour les noms de professions en « -ien », on forme le féminin en « -ienne ».
*Il est comédien / elle est comédien**ne**.*

Pour les noms de professions en « -teur », on forme le féminin en « -trice ».
*Il est acteur / elle est ac**trice**.* **EXCEPTION : Chanteur / chanteuse**

Pour les noms de professions en « -eur », on forme le féminin en « –euse ».
*Il est vendeur / elle est vend**euse**.*

Pour les noms qui se terminent par « -e » au masculin, le féminin reste identique.
Il est journaliste / Elle est journaliste.

▶ Appliquez

5 Mettez ces professions au masculin ou au féminin.

a. Il est chanteur / elle est ...
b. Il est ... / elle est actrice
c. Il est ... / elle est infirmière.
d. Il est avocat / elle est ...

Le féminin des adjectifs

▶ Observez

Le féminin des adjectifs

En général, pour former le féminin des adjectifs, on ajoute –e à l'adjectif au masculin.
Exemples : *Petit → Petite / Blond → Blonde / Brun → Brune / Grand → Grande*

Attention :
Les adjectifs qui se terminent en –e au masculin sont identiques au féminin : *Mince → Mince*
D'autres doublent leur consonne finale et prennent un *–e* : *Gros → Grosse*

▶ Appliquez

6 Mettez ces descriptions au féminin ou au masculin.

a. Il est petit, mince. Il a les yeux bleus et les cheveux courts.
b. Il est grand et gros. Il est blond et il a les yeux marron.
c. Elle est grande et brune et elle a les cheveux longs.

7 Classez ces adjectifs selon leur genre (féminin/ masculin).

a. mince
b. gros
c. petite
d. blonde
e. brun
f. grand

« Est-ce que ? » et « Qu'est-ce que ? »

▶ Observez

« Est-ce que ? » et « Qu'est-ce que ? »

Les questions avec « Est-ce que » sont des questions fermées et impliquent les réponses « Oui » ou « Non ».

Les questions avec « Qu'est-ce que » sont des questions ouvertes et impliquent une quantité indéfinie de réponses.

Exemple :
Est-ce que tu es libre ? Oui.
Qu'est-ce que tu étudies ? J'étudie les mathématiques / la musique ...

▶ Appliquez

8 Voici des réponses. Trouvez les questions.

a. Non, je ne parle pas anglais.
b. Oui, j'habite à Paris.
c. Non, ce n'est pas ma sœur.
d. Oui, c'est son père.
e. Elle étudie la littérature.

Les articles définis

▶ Observez

Les articles définis

L'article défini sert à introduire une chose ou une catégorie déjà identifiée ou facilement identifiable ou encore une catégorie générale d'êtres ou de choses.

Pour les noms masculins singuliers : le ou l'
Pour les noms féminins singuliers : la ou l'
Pour les noms pluriel : les

▶ Appliquez

9 Complétez par un article défini.

a. Elle étudie ... chinois.
b. Nous habitons à Paris, c'est ... capitale de la France.
c. Axel et Romain sont ... cousins de Leila.
d. Madame Nguyen, c'est ... directrice de mon école.
e. J'étudie ... histoire.

Unité 2 Phonétique

Les lettres finales des mots

 1 Écoutez. 

Quelles lettres finales ne se prononcent pas ?

En général, les lettres muettes sont en fin de mots. Les consonnes sont en général muettes en fin de mots sauf les mots qui se terminent par les lettres L, C, F et R. Les voyelles se prononcent sauf le E.

 2 Écoutez. 

Pour chaque mot, dites si vous entendez ou pas la lettre finale.

	On entend la lettre finale	On n'entend pas la lettre finale
a. Français		
b. Père		
c. Fils		
d. Chat		

Le « h » muet

  3 Écoutez.

Est-ce qu'en français le « h » se prononce ?

Le « h » ne se prononce jamais en français. Il peut être muet ou aspiré. Si le « h » est muet on peut faire la liaison. Si on ne fait pas de liaison, c'est un « h » aspiré.

La liaison

 4 Écoutez ces liaisons. 

a. Ils habitent à Paris.
b. Les médecins travaillent dans des hôpitaux.

La liaison, c'est le fait de prononcer une consonne normalement muette, quand le mot qui suit commence par une voyelle ou un « h » muet.

 5 Écoutez. 

Relevez les liaisons.

a. Vous habitez où ?
b. C'est un garçon très sympa.
c. Les infirmières travaillent dans des hôpitaux.
d. Ces actrices sont célèbres.
e. Nous étudions le français.

 6 Répondez.

Est-ce qu'il y a des liaisons dans ces nombres ?

a. Dix-huit
b. Quatre-vingt-un
c. Vingt-huit
d. Soixante et onze

 7 Écoutez pour vérifier.  

Écoutez puis prononcez ces nombres à voix haute avec un(e) camarade.

 8 Écoutez. 

Est-ce que vous entendez 0, 1 ou 2 liaisons ?

	0 liaison	1 liaison	2 liaisons
Ils ont quatre enfants.			
Vous avez des petits-enfants ?			
Nous habitons à Madrid.			
Elle a les yeux bleus.			
Il a quatre-vingt-dix ans.			

Utilisons les outils de la langue

Écrivez.

Lisez les définitions et trouvez les personnes de la famille.

a. C'est la mère de ma mère.
b. C'est le père de mon père.
c. C'est la fille du frère de ma mère.
d. C'est le fils de la sœur de mon père.

Parlez. 

Donnez des définitions comme dans l'exercice 1, la classe doit deviner.

Parlez.  (voir tableau page 10)

Complétez à l'oral les suites logiques.

a. 21-41-61-...
b. 35-40-45-50-55-...
c. 43-53-63-...
d. 70-72-74-76-...
e. 80-85-90-...
f. 98-96-94-92-...

Écrivez.

Romain et Léa travaillent dans un hôpital. Donnez 2 professions.

Écrivez.

Donnez les noms de ces animaux de compagnie.

a. 

b. 

c. 

d. 

Quels adjectifs représentent les émoticônes ?

Écrivez. 

Faites la description physique de deux camarades de classe. Un autre camarade lit et devine.

Écrivez.

Classez ces phrases.

a. Elle est drôle.
b. Il a les yeux verts.
c. Ils sont bruns.
d. Ils sont bleus.
e. Elle est blonde.
f. Elle est timide.

Description des yeux	Description des cheveux	Description du caractère

Parlez.

Dites le contraire de ces phrases.

a. Il est petit et mince.
b. Il est sympa.
c. Elle est grosse et grande.

Parlez.

Dites pour chaque professions si elle est masculine, féminine ou les deux.

a. photographe
b. comédienne
c. professeur
d. journaliste
e. vendeur
f. chanteuse

Unité 2 Faisons le point

En petit groupe, faites des recherches sur Internet, choisissez une famille francophone célèbre, présentez deux ou trois membres de cette famille à l'oral aux autres élèves de la classe. Donnez un maximum d'informations sur les personnes (âge, description physique, description du caractère, professions, liens de parenté…)

Exemple : *Johnny Hallyday et sa famille*

Johnny Hallyday et sa fille, l'actrice Laura Smet

Laeticia Hallyday, la femme de Johnny, et ses filles, Joy et Jade

Johnny Hallyday et son fils, le chanteur David Hallyday

Unité 3

JOUR APRÈS JOUR

Projet

Parlons loisirs

Un mur virtuel

Nous présentons à nos correspondants nos activités, notre ville et notre quartier. Nous expliquons quels sports nous pratiquons, comment se passent nos journées et nous partons à la découverte d'autres habitudes et activités culturelles.

Nous allons :

1. Parlons de notre ville

Léa rentre de Lyon. Elle montre à ses amis des photos sur son téléphone portable.

Une ville pour tous les goûts

 **Regardez la vidéo 5 « Voyage à Lyon ».** 

Relevez les phrases exactes.

a. Léa montre une photo de l'aéroport.
b. Il y a un zoo dans le parc de la Tête d'Or.
c. Le frère de Marine fait de la boxe.
d. Marine ne va pas au lycée.
e. Marine fait de la natation 6 heures par jour.
f. Les parents de Marine adorent aller au théâtre.
g. Le Rhône est un fleuve.

 **Observez.**

Associez chaque photo à une affirmation de l'activité 1.

> ***Ma ville***
> · Un stade
> · Un fleuve
> · Un lycée
> · Un parc
> · Une piscine
> · Un théâtre

1

2

3

4

 **Racontez.** 

Par deux, aidez Léa à raconter ses journées à Lyon à ses amis.

Dans mon quartier

 **Lisez.**

Gabriel, Anaïs et Maud parlent de leur quartier. Lisez et répondez aux questions.

a. « Le Magasin », qu'est-ce que c'est ? Qu'est-ce qu'il y a dans le Magasin ?
b. Décrivez le quartier d'Anaïs.
c. Qu'est-ce qu'il y a dans le quartier de Maud ?

Je m'appelle Gabriel, j'habite à Grenoble. Dans mon quartier, il y a un centre d'art contemporain, le Magasin. Il y a des expositions sympas.

Moi, je m'appelle Anaïs, j'habite dans une maison à Montmartre à Paris. C'est un quartier touristique avec des rues très anciennes.

Bonjour, je m'appelle Maud, j'habite dans le quartier de la Croix Rousse à Lyon. C'est un quartier très célèbre à Lyon. Mon lycée est dans ce quartier. Il y a un petit cinéma. Il passe des films excellents.

Les articles indéfinis

Complétez.

C'est ... quartier célèbre.
J'habite dans ... maison.
Il y a ... rues très anciennes.

Quand est-ce qu'on utilise « un », « une » ou « des » ?

Il y a

Observez.

Il y a un cinéma.
Il y a des expositions.

Est-ce qu'*il y a* change au singulier et au pluriel ?

 **Écrivez.** 

Maud pose des questions à Anaïs sur le quartier de Montmartre. Par deux, imaginez les questions et les réponses. Faites des recherches sur ce quartier ou utilisez les photos ci-dessous.

Le pluriel des adjectifs

Il passe des films excellents.

Comment se termine l'adjectif au pluriel ?

Relevez d'autres adjectifs au pluriel dans le texte de l'activité 4.

Les vignes

Un café

La place du Tertre

Projet : Étape 1 : La description de votre ville / quartier 

Décrivez pour vos correspondants votre ville et votre quartier. Qu'est-ce qu'il y a dans votre quartier / dans votre ville ? Quelles activités vous pouvez pratiquer ? Cherchez ou prenez des photos.

2. Présentons notre sport préféré

Le parkour est un sport à la mode dans les villes. C'est un sport collectif, un sport d'équipe, comme le football ou le volleyball.

Un champion français

 **Écoutez.** 

Des adolescents parlent de leur sport préféré et de leurs champions. Écoutez et répondez.

a. Présentez Kevin. Il habite où ? Quel est son sport préféré ?
b. Qu'est-ce que c'est, le parkour ?

  **Parlez.**

Marco parle de Simon Nogueira. Lisez la fiche d'identité de Simon et présentez le champion.

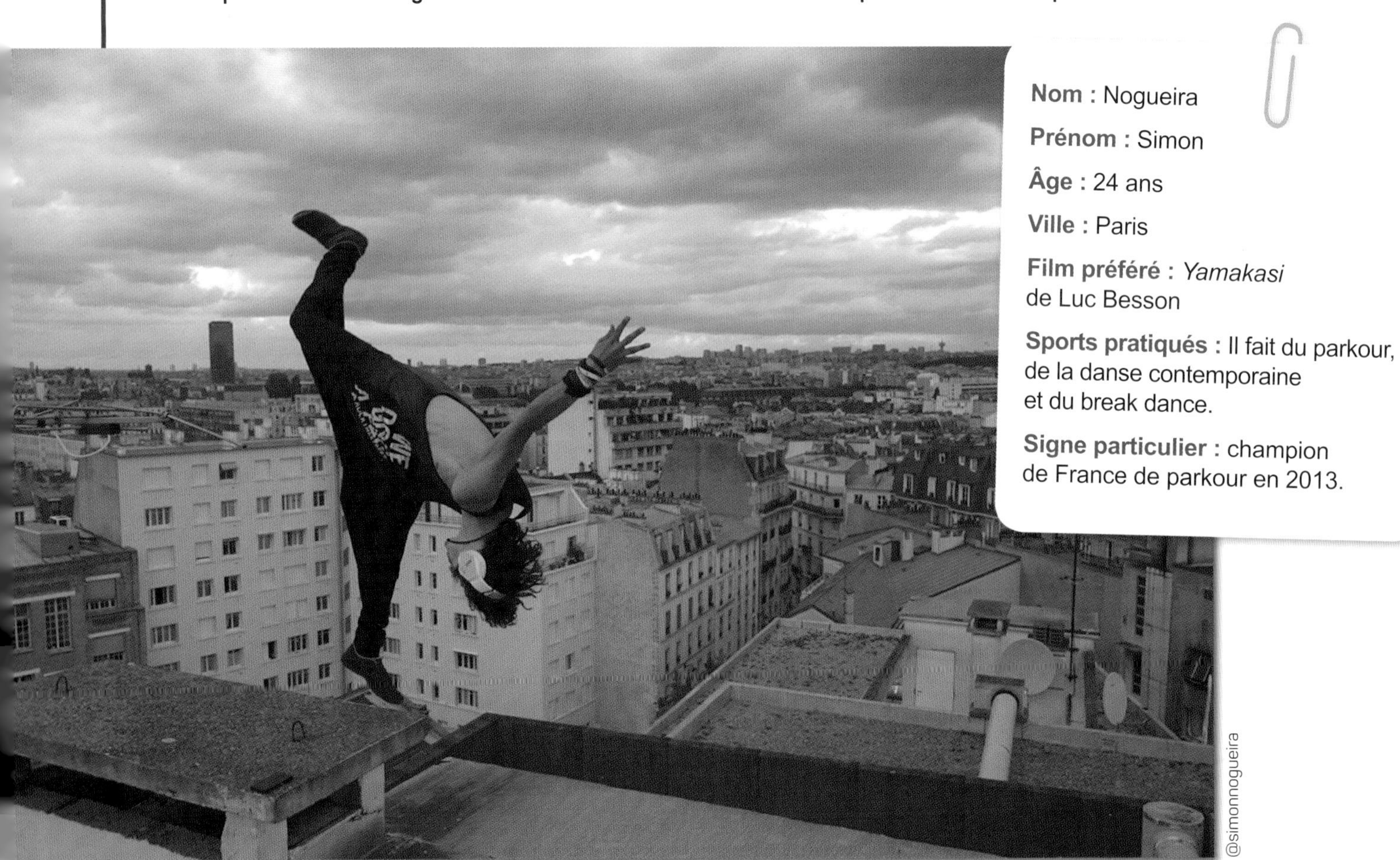

Nom : Nogueira
Prénom : Simon
Âge : 24 ans
Ville : Paris
Film préféré : *Yamakasi* de Luc Besson
Sports pratiqués : Il fait du parkour, de la danse contemporaine et du break dance.
Signe particulier : champion de France de parkour en 2013.

@simonnogueira

 **Écrivez.**

À votre tour, faites la fiche d'identité d'un champion.

Tout le monde à l'eau !

4 Lisez.

La Réunion est une île française dans l'océan Indien. On pratique beaucoup de sports aquatiques. Lisez l'annonce et répondez aux questions.

a. Quels sports vous pouvez pratiquer le samedi 03 août à La Réunion ?

b. Où a lieu le rendez-vous ?

> *Faire du, de la, de l'*
>
> *Faire du parkour.*
> *Faire de la danse.*
>
> Relevez d'autres activités sportives sur cette page. Qu'est-ce que vous remarquez ?

> *Jouer au*
>
> Observez.
>
> *Jouer au football / Jouer au tennis*
>
> **Attention !** On peut dire aussi : *Faire du football / Faire du tennis*

Vive les sports !

5 Écrivez.

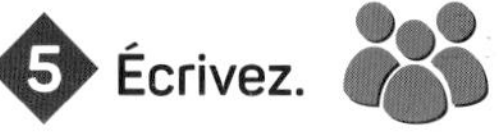

Regardez les photos. Choisissez un sport et préparez une affiche comme dans l'activité 4.

6 Parlez.

Donnez des noms de sportifs célèbres. Votre camarade dit quel sport ils font.

Amandine Leynaud : elle joue au handball.

Faire du judo

Jouer au hockey / Faire du hockey

Jouer au tennis / Faire du tennis

Projet – Étape 2 : La présentation d'un sport

Choisissez votre sport préféré. Où est-ce que vous pratiquez ce sport dans votre ville ? Avec qui ?

3. Donnons notre emploi du temps

Voici le quotidien de Killian, étudiant en seconde au lycée. Ses journées sont très rythmées, entre les cours et ses activités.

Du matin au soir

Regardez la vidéo 6 « Une journée bien remplie ». 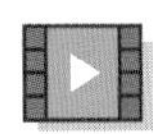

a. Regardez la vidéo sans le son. Quelles sont les activités de Killian ?

b. Maintenant regardez la vidéo avec le son. Remettez dans l'ordre les activités de Killian.

a. Il se douche.
b. Il prend son petit-déjeuner.
c. Il va au lycée.
d. Il fait du sport.
e. Il fait ses devoirs.

Les verbes pronominaux

Il se réveille.
Je m'appelle Killian.

Qu'est-ce que vous remarquez ? Essayez de conjuguer « se réveiller » à d'autres personnes.

Observez.

Associez les phrases et les photos.

Il se réveille à 7h.

Il se couche à 22h.

Il se coiffe à 7h50.

Il se brosse les dents à 7h45.

Dire l'heure

- À 7h00 : à sept heures pile
- À 7h15 : à sept heures quinze ou sept heures et quart
- À 7h30 : à sept heures trente ou sept heures et demie
- À 7h45 : à sept heures quarante-cinq ou huit heures moins le quart
- À midi / à minuit

Parlez.

À quelle heure Killian commence les cours ? À quelle heure il termine ? À quelle heure il dîne ?

Racontez. 

Comme dans la vidéo, décrivez votre emploi du temps d'une journée. Comparez avec les emplois du temps de vos camarades.

Qu'est-ce que vous faites demain ?

 Écoutez. 

Alexia et ses camarades parlent de leur emploi du temps le week-end. Écoutez leur conversation, puis répondez.
a. Que fait Simon demain ?
b. Que font Claire et Louis le samedi ? À quelle heure ?
c. À quelle heure est le pique-nique ?

Louis invite Claire au pique-nique et au concert. Imaginez le dialogue.

Des activités
- Un pique-nique
- Un concert
- Une exposition

Programme de vacances

 Lisez.

Apprenez le français en Suisse ! Lisez la brochure. Vous voulez partir en janvier. Tentez de convaincre vos parents. Présentez les activités proposées.

Les expressions de temps
- Le matin / L'après-midi / Le week-end
- En juin...
- En été / En hiver

 Écoutez. 

Jason, Charlotte et Éléonore sont en Suisse avec AFS. Est-ce qu'ils sont contents ? Pourquoi ?

Les tâches ménagères
- Mettre la table 
- Faire son lit
- Faire la vaisselle 
- Laver 

Projet – Étape 2 : L'emploi du temps 

Vous faites un tableau pour détailler votre emploi du temps de la semaine. Quels cours vous avez ? Quelles activités (sport, sortie, tâche ménagère...) vous faites ? Quel jour ? À quelle heure ?

4. Découvrons des activités culturelles

Dis-moi qui tu es...

 Lisez.

a. Lisez les réponses de Benjamin à ce test.

b. Quel est le résultat de Benjamin ?

c. Relevez les phrases exactes.

a. Benjamin aime le sport.
b. Benjamin aime être en famille.
c. Benjamin aime être seul.
d. Benjamin est très actif, il fait du sport, il va au cinéma.

Dis-moi qui tu es...

Un ciné ? Un café ? Un jogging ? Une expo ? Vous aimez quoi ? Et vos amis, ils font quoi ?

1. Quand et avec qui vous allez au cinéma ?
- ★ Le samedi, avec des ami(e)s.
- ● Le dimanche après-midi avec vos parents, en famille.

2. Qu'est-ce que vous faites après les cours ?
- ★ Vous allez au parc avec des amis.
- ● Vous faites vos devoirs.

3. Comment est votre meilleur(e) ami(e) ?
- ★ Il / Elle fait du sport le matin.
- ● Il / Elle aime lire.

4. Où est-ce que vous allez le week-end ?
- ● Vous restez à la maison.
- ★ Vous allez à la piscine.

Résultats du test

Vous avez 3 ou 4 ronds rouges :
Vous êtes solitaire.
Vous aimez être à la maison.

✗ **Vous avez 3 ou 4 étoiles bleues :**
Vous aimez le sport et les amis !

 Interrogez. 

Faites passer le test à votre voisin de classe. Lisez les résultats.

 Écrivez.

Imaginez d'autres questions pour ce test.

Aller à la, au

Vous allez au cinéma.
Vous allez à la piscine.
Qu'est-ce que vous remarquez ?

Les pronoms interrogatifs *qui, quand, où*

Quels pronoms interrogatifs correspondent à ces réponses ?
a. *Le samedi.*
b. *Avec des amis.*
c. *Vous allez au parc.*

Aujourd'hui, je vais au théâtre

 **Écoutez.** 

C'est le matin, Romane va au lycée. Sa mère pose des questions. Écoutez le dialogue puis répondez.

a. Où va Romane à 14h ?
b. Avec qui ?
c. Que fait Romane à 17h ?
d. À quelle heure Romane rentre à la maison ?

 **Observez.**

Voici l'affiche de la pièce *Les Petites Reines*.

a. Où vont les filles ?
b. Où passe la pièce ?

 **Lisez.**

Lisez les réponses de Marion et de Manu.
Que raconte *Les Petites Reines* ?

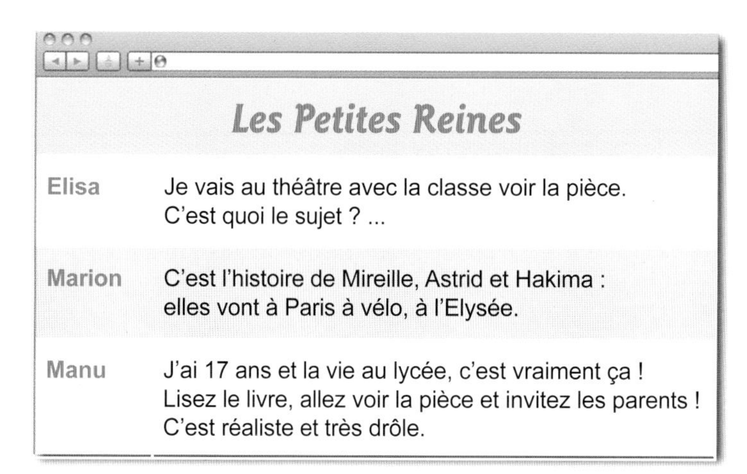

Les Petites Reines

Elisa	Je vais au théâtre avec la classe voir la pièce. C'est quoi le sujet ? ...
Marion	C'est l'histoire de Mireille, Astrid et Hakima : elles vont à Paris à vélo, à l'Elysée.
Manu	J'ai 17 ans et la vie au lycée, c'est vraiment ça ! Lisez le livre, allez voir la pièce et invitez les parents ! C'est réaliste et très drôle.

©Johann Hierholzer

 **Invitez.** 

Vous appelez un(e) ami(e). Vous résumez les avis du forum sur *Les Petites Reines* et vous proposez d'aller au théâtre voir la pièce.

PROJET

Parlons loisirs 

Nous présentons nos activités dans notre ville et nos journées habituelles à nos correspondants.

- Reprenez les étapes 1, 2 et 3 du projet.
- Faites une présentation de votre quartier et de votre ville, de vos activités culturelles et sportives et insistez sur votre activité préférée.
- Donnez des détails sur votre semaine type avec les horaires, les jours...
- Choisissez la forme de votre présentation (une vidéo, un powerpoint avec des légendes, des photos, une présentation filmée, des affiches...)
- Publiez votre présentation sur le mur virtuel.

Les articles indéfinis

▶ Observez

 **Lisez.**

Moi, j'habite à Brest. Dans ma ville, il y a un théâtre, une salle de concert, une piscine, un stade et un aéroport.
Il y a la mer, c'est super pour faire des sports aquatiques.
Je vais au lycée avec ma sœur. Je mange au lycée et le mardi soir, je vais au stade avec mes amis, nous jouons au foot. Je rentre à la maison à 20 h, je dîne en famille et je me couche à 23 heures.

> **Les articles indéfinis**
>
> L'article indéfini est placé devant un nom. Il est différent si le nom est masculin, féminin, singulier ou pluriel.
>
> Devant un nom masculin singulier, on utilise « **un** », devant un nom féminin singulier on utilise « **une** » et devant un nom pluriel masculin ou féminin on utilise « **des** ».
>
> *Un aéroport*
> *Une piscine*
> *Des salles de concert*

 **Répondez.**

a. Qu'est-ce qu'il y a à Brest ?
b. De quels sports parle Liam ?
c. Décrivez le mardi de Liam.
d. Réécrivez le début au pluriel : *Dans ma ville, il y a des théâtres...*

▶ Appliquez

 **Complétez.**

Complétez par l'article indéfini correct.

a. ... ville
b. ... copains
c. ... concert
d. ... rue
e. ... parc
f. ... filles

Il y a

▶ Observez

> **Il y a**
>
> L'expression Il y a ne change pas devant le masculin, le féminin, le singulier ou le pluriel.
>
> *Il y a un zoo.*
> *Il y a une pièce de théâtre.*
> *Il y a des sports aquatiques.*

▶ Appliquez

 **Écrivez.**

Faites une liste des lieux de votre ville. Utilisez « Il y a ».

Le pluriel des adjectifs

▶ Observez

> **Le pluriel des adjectifs**
>
> Pour former le pluriel des adjectifs, on ajoute un « s » final à l'adjectif au singulier.
>
> *Une pièce drôle → des pièces drôles*

▶ Appliquez

 **Écrivez.**

Mettez les phrases au pluriel.

a. Dans ma ville il y a une grande piscine.
b. À la Réunion, il y a un sport aquatique.
c. En été, je fais souvent un séjour linguistique.
d. Je préfère un sport collectif.
e. C'est un sportif célèbre.

Faire du, faire de la, faire de l'

▶ Observez

> **Faire du, de la, de l'**
>
> L'article après le verbe « faire » varie selon l'activité.
>
> *Il fait du tennis* (le mot est masculin)
> *Il fait de la natation* (le mot est féminin)
> *Il fait de l'escalade.* (le mot commence par une voyelle)

▶ Appliquez

 **Conjuguez.**

Conjuguez le verbe « faire » et complétez par « du », « de la » ou « de l' ».

a. Ils ... parkour.
b. Vous ... plongée.
c. Nous ... ping pong.
d. Elles ... escalade.
e. Je ... natation.
f. Il ... tennis.

Jouer à la, au, aux

▶ Observez

Jouer à la, au, aux

La préposition après le verbe « jouer » varie selon l'activité.

Il joue au tennis. (masculin)
Elle joue à la pétanque. (féminin)
Tu joues aux cartes. (pluriel)

Attention ! On peut parfois utiliser « faire du » et « jouer à » mais pas toujours !
Faire du tennis / Jouer au tennis

▶ Appliquez

7 Conjuguez.

Conjuguez le verbe « jouer » et complétez par « à la », « au » ou « aux ».

a. Elles ... handball.
b. Je ... football.
c. Vous ... hockey.
d. Tu ... pétanque.
e. Nous ... cartes.
f. Ils ... basket.

Les verbes pronominaux

▶ Observez

Les verbes pronominaux

Les verbes pronominaux ont toujours un pronom personnel devant le verbe. Ce pronom change selon les personnes.

Je me douche.	*Nous nous douchons.*
Tu te douches.	*Vous vous douchez.*
Il / Elle se douche.	*Ils / Elles se douchent.*

▶ Appliquez

8 Conjuguez.

Conjuguez les verbes et choisissez le bon pronom.

a. Dans ma famille, nous (*se lever*) à 7h. Je (*se doucher*) et je (*s'habiller*), je prends mon petit-déjeuner et je pars au lycée.
b. Ma petite sœur et moi, nous (*se réveiller*) à la même heure. Nous (*se préparer*) et nous partons à l'école à 8h.
c. Mes parents, ils (*se lever*) avant 7h, ils (*se coucher*) après minuit. Mon frère et moi, nous (*se coucher*) avant 23h.

Aller à, la, au

▶ Observez

Aller à, au, à l'

Le verbe « aller » est un verbe irrégulier.

Je vais	*Nous allons*
Tu vas	*Vous allez*
Il / Elle va	*Ils / Elles vont*

Il est suivi de ***au*** devant un nom masculin singulier.
Il va au parc.

Il est suivi de ***à la*** devant un nom féminin singulier.
Il va à la piscine.

Attention ! Il est suivi de ***l'*** devant un nom qui commence par une voyelle ou un « h ».
Il va à l'aéroport.

▶ Appliquez

9 Complétez.

Complétez par le verbe « aller » conjugué et terminez la phrase pour donner du sens.

Exemple : *Vous aimez la musique, vous allez au concert.*

a. Pour voir un film, je ... .
b. Je fais du football avec mes copains, nous ... .
c. Il est en classe de seconde, il ... .
d. Elles font de la natation le week-end, elles ... .

Les pronoms interrogatifs

▶ Observez

Les pronoms interrogatifs « qui », « quand », « où »

On utilise les pronoms interrogatifs pour poser des questions.

Qui sert à poser une question sur une personne.
Qui fait du foot avec toi ?

Quand sert à poser une question sur un moment.
Quand tu joues au volley ?

Où sert à poser une question sur un lieu.
Où tu vas en vacances ?

▶ Appliquez

10 Répondez.

Voici des réponses. Trouvez les questions.

a. Je travaille dans un théâtre.
b. Arthur fait du parkour avec Tom.
c. Chloé et Sandra font de la natation le mercredi.

Les sons [i], [u] et [y]

 **Observez.**

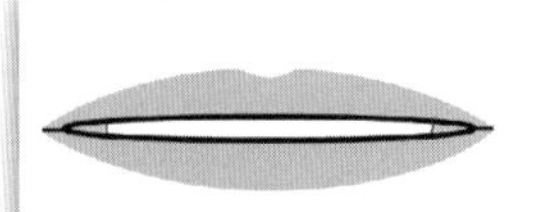 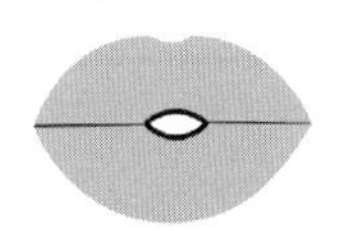

Pour le son [i], les lèvres sont écartées et la langue est en avant.	Pour le son [u], les lèvres sont arrondies et la langue part en arrière.	Pour le son [y], les lèvres sont arrondies comme pour le son [u] mais la langue est en avant.

 **Écoutez.** 

Quels sons vous entendez ?

	[i]	[u]	[y]
1			
2			
...			

 **Écoutez.** 

Écrivez les mots entendus dans la bonne case.

	[i]	[u]	[y]
1			
2			
...			

 **Lisez le texte.**

Relevez les mots avec les sons [i], [u] et [y].

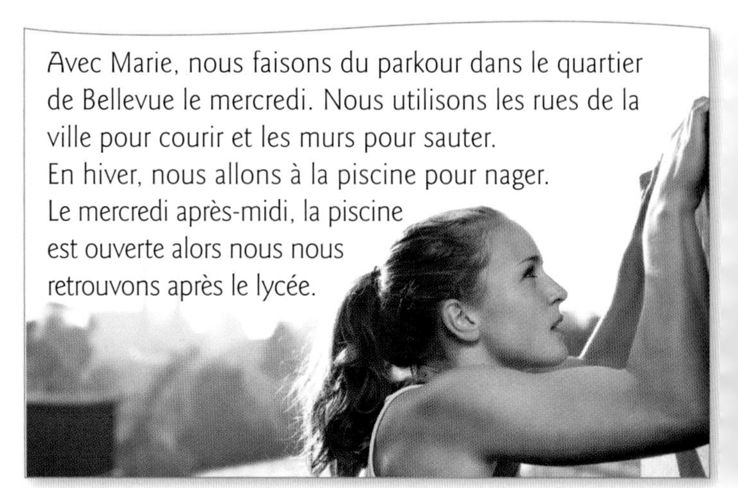

Avec Marie, nous faisons du parkour dans le quartier de Bellevue le mercredi. Nous utilisons les rues de la ville pour courir et les murs pour sauter.
En hiver, nous allons à la piscine pour nager.
Le mercredi après-midi, la piscine est ouverte alors nous nous retrouvons après le lycée.

 **Recopiez les phrases.**

Soulignez en rouge le son [i], en vert le son [u], et en bleu le son [y].

a. Où vous allez le lundi ?
b. Avec qui tu vas au cinéma ?
c. Quand tu te douches ?
d. Tu dînes à quelle heure le samedi ?

 **Écoutez.** 

Combien de fois vous entendez les sons [i], [u] et [y] dans chaque phrase ?

	[i]	[u]	[y]
1			
2			
...			

 **Parlez.** 

En binôme, vous avez une minute pour faire une liste de mots avec le son [i]. Vous lisez les mots à vos camarades de classe. Recommencez avec les sons [u] et [y].

Lexique

1 Écrivez.

Complétez chaque nuage avec le plus de mots possibles. Mettez vos idées en commun.

2 Devinez.

Trouvez le mot correspondant à la définition.

a. Nous allons dans ce lieu pour voir des animaux.
b. Pour aller voir une pièce de théâtre, vous allez ... .
c. Pour faire du foot, tu vas ... .

3 Écrivez.

Écrivez des phrases comme dans l'exercice 2 pour faire deviner ces lieux :

la piscine – le cinéma – le lycée

4 Complétez.

Complétez la journée de Naïma avec :

me lève – vais au cinéma – à 23h00 – 17h – allons au théâtre – en été – du ski – de la natation – en hiver – faire mes devoirs – au parc.

Moi, mes semaines sont intenses. Je ... à 7h. Je vais au lycée du lundi au vendredi. Les cours au lycée se terminent vers .... J'aime aller ... avec mes copains avant de rentrer à la maison pour .... Le week-end, je ... avec mes copains ou mon frère. Avec le lycée, nous ... aussi voir des pièces. Le soir, je me couche ... Je fais du sport bien sûr, ... je fais ... à la piscine du quartier et ... je fais ... à la montagne.

5 Écrivez.

Écrivez quelques phrases sur les tâches ménagères chez vous.

Exemple : *Mon père prépare le repas.*

6 Écrivez.

À la manière de Naïma, écrivez quelques phrases pour raconter la journée d'une personne de votre famille.

7 Choisissez.

Utilisez faire et / ou jouer.

a. la danse
b. le judo
c. le hockey
d. le basket
e. l'escalade
f. le ski

8 Écrivez.

Quels sports pratiquent ces champions ? Faites une phrase pour chaque champion avec le verbe « faire » ou « jouer ».

Kylian Mbappé

Roger Federer

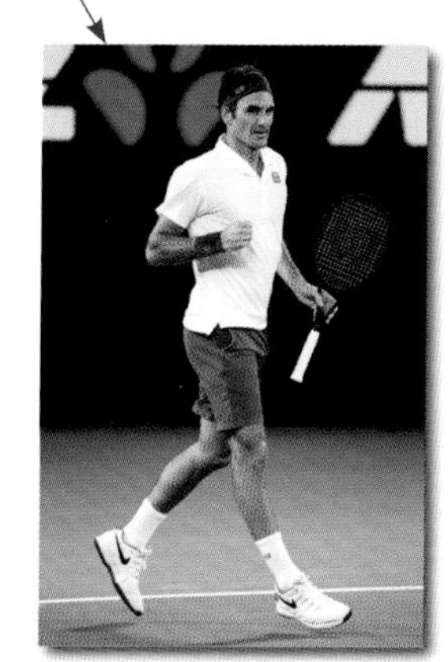

Camille Lacourt

Tony Parker

Amandine Leynaud

Tessa Worley

Teddy Riner

Kristina Mladenovic

Pauline Ado

Laure Boulleau

Unité 3

Faisons le point

À l'école de danse de l'Opéra de Paris, les élèves ont des habitudes un peu particulières.

- **Lisez cet article et découvrez leur emploi du temps.**
- **Observez les photos.**
- **Racontez la journée de Martin et Léonore.**

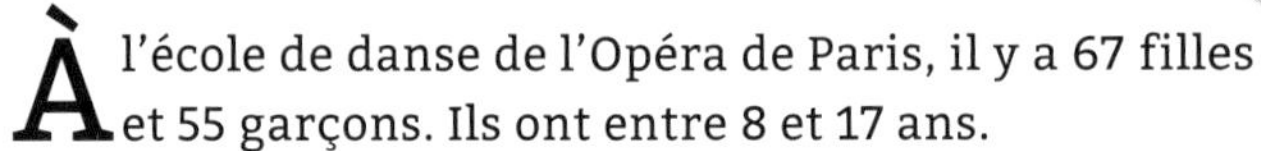

À l'école de danse de l'Opéra de Paris, il y a 67 filles et 55 garçons. Ils ont entre 8 et 17 ans.
On surnomme les élèves les « petits rats ». Les petits rats de l'Opéra de Paris passent la semaine à l'école de danse, ils dorment à l'internat et sortent le week-end pour voir leurs parents. Voici le témoignage de Martin et de Léonore :
« Nous sommes en seconde. Nous nous levons à 6h45 le matin, nous prenons le petit-déjeuner à 7h et nous avons cours à 8h. L'après-midi, après le déjeuner, nous faisons de la danse. Après la danse, nous retournons à l'internat. Le soir, nous faisons nos devoirs, nous étudions, et nous faisons des activités libres avec nos amis de l'école. Le soir, nous dînons à 19h30 et après le dîner, nous nous couchons tôt. Le rythme à l'école de danse est intense. »

Unité 4

QU'EST-CE QU'ON MANGE ?

Projet

Enquêtons sur les habitudes alimentaires

Nous réalisons un questionnaire pour connaître les habitudes alimentaires de nos correspondants. Nous découvrons les aliments. Nous nous renseignons sur les plats francophones. Nous rédigeons les questions et nous publions dans un petit texte les résultats de cette enquête.

Un mur virtuel

Nous allons :

1. Découvrons les aliments

Léa, Lucas et Killian font la queue devant un camion restaurant qui vend des bagels.

Tu aimes quoi ?

Regardez la vidéo 7 « Déjeuner au camion restaurant ». 

Relevez les phrases exactes.

a. Un bagel est un hamburger.
b. Lucas aime le bagel poulet mayonnaise.
c. Léa aime les tomates.
d. Léa n'aime pas les œufs.
e. Killian veut un bagel avec du jambon et de la salade.

Les verbes de goût

- Adorer
- Détester
- Préférer
- Aimer

Observez.

Associez les photos au nom des aliments.

Parlez. 

Jeu de rôle : vous commandez un bagel au camion restaurant. Votre camarade joue le rôle du vendeur.

Et / Ou / Donc

- *J'apporte le dessert et des bonbons.*
- *Tu préfères des tomates ou du jambon ?*
- *Donc je commande les pizzas.*

Quelle est la différence ?

Invitation

Lisez.

Inès et Nicolas préparent une fête. Ils échangent des messages. Qu'est-ce que Nicolas apporte ?

Les aliments sucrés

- Le jus de fruits / jus de pomme
- Le gâteau
- La glace
- Les bonbons
- Le dessert

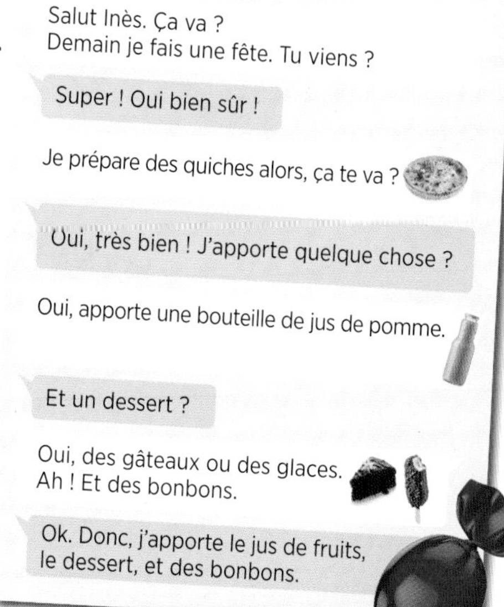

Écoutez. 

Inès téléphone à Mathis pour l'inviter à la fête. Relevez les phrases exactes.

a. Inès propose à Mathis de commander des quiches ou des frites.
b. Mathis préfère les pizzas avec du jambon et des tomates.
c. Mathis n'aime pas le fromage.

Parlez. 

C'est votre anniversaire. Vous téléphonez à un(e) ami(e). Vous choisissez ensemble le repas.

Repas du passé

7 Observez.

Cette photo illustre un repas à l'époque du Moyen-Âge. Lisez les légendes et répondez.

a. Qu'est-ce qu'on mange au Moyen-Âge ? Qu'est-ce qu'on ne mange pas ?

b. Quels aliments vous pouvez identifier sur la photo ?

La cuisine de l'époque médiévale est simple. Les gens mangent de la viande, du [poisson] grillé, des œufs et du fromage.

On ne mange pas beaucoup de légumes : il y a des carottes, des champignons et des haricots.

Aujourd'hui, nous mangeons des fruits. Au Moyen-Âge aussi ! Des cerises, des poires, des pommes, du raisin et des pêches.

8 Répondez.

Et vous, qu'est-ce que vous mangez ?

9 Recherchez.

Choisissez une époque, la préhistoire ou l'époque romaine. Écrivez un court article pour présenter les aliments de cette époque.

10 Parlez.

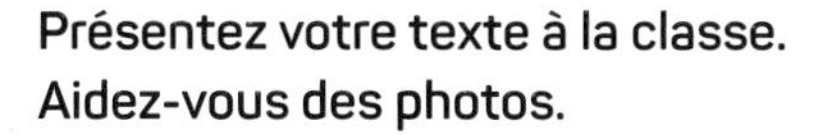

Présentez votre texte à la classe. Aidez-vous des photos.

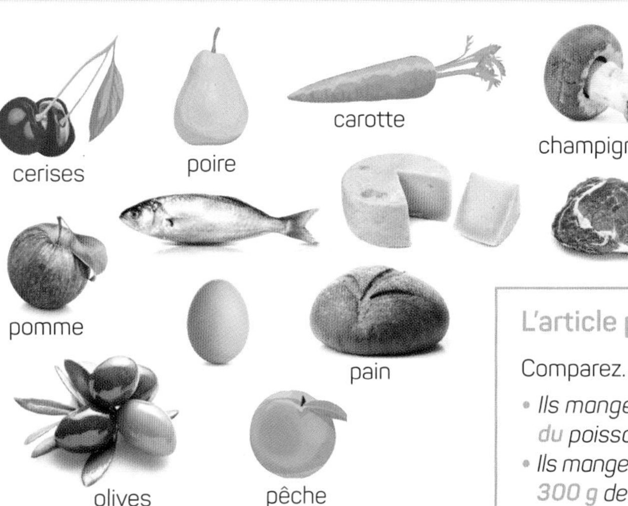

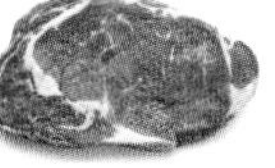

Le verbe « manger »

Complétez.

Je mange
Tu manges
Il / Elle / On ...
Nous ...
Vous mangez
Ils / Elles ...

L'article partitif

Comparez.

- *Ils mangent de la viande, du poisson et des fruits.*
- *Ils mangent 500 g de viande, 300 g de poisson, trois fruits.*

Quelle est la différence ?

Projet : Étape 1 : La liste des aliments

Formez des groupes de 3 ou 4 personnes. Vous avez 5 minutes pour trouver le maximum d'aliments. Classez les aliments en plusieurs catégories (légumes, fruits, etc). Mettez vos listes en commun. Conservez ces listes pour la suite du projet.

2. Renseignons-nous sur les plats francophones

Gabriel est un jeune youtubeur qui revient du Canada. Il fait découvrir sa recette de pancakes, le petit-déjeuner préféré des Canadiens.

Les plats de la francophonie

1 Regardez la vidéo 8 « Les pancakes du Québec ». 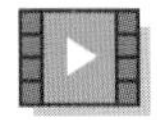

a. Complétez la liste des ingrédients.

LES PANCAKES DU QUÉBEC

Les ingrédients :
.... grammes de farine
3 ....
60 .... de beurre fondu
.... centilitres de lait
Un .... de levure
2 .... de sucre
Un peu de ....

Les quantités déterminées
- Un gramme
- Un centilitre
- Un sachet
- Une cuillère
- Un peu de
- Beaucoup de

Les repas
- Le petit-déjeuner
- Le déjeuner
- Le goûter
- Le dîner

Alors / Après

Après, je verse le lait.
Je laisse cuire et après, je retourne le pancake.
Alors, à vous de jouer !
Quelle est la différence ?

b. Regardez une nouvelle fois la vidéo et nommez ces actions.

verser | mélanger | ajouter | laisser cuire

1

2

3

4

2 Lisez et relevez les phrases exactes.

Découvrez ces plats francophones.

a. On mange l'alloco avec du poisson **ou** de la viande.
b. Le tajine est un plat pour le goûter.
c. Il y a des fruits dans l'alloco.
d. Dans le tajine, il y a de la viande **et** du poisson.

1. L'Alloco

C'est un plat traditionnel de Côte d'Ivoire. Ce sont des bananes frites. On mange l'alloco au déjeuner avec du poisson ou de la viande.

2. Le Tajine

Le Tajine est un plat marocain de viande ou de poisson pour le déjeuner ou le dîner. Il y a beaucoup de recettes différentes.

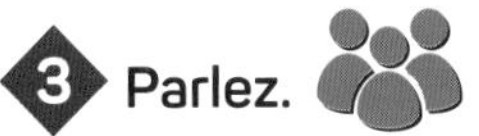

3 Parlez.

Quel plat typique de votre pays vous aimez ? Quels sont les ingrédients ? C'est pour quel repas ? Présentez la recette.

Le petit-déjeuner

- Le bacon
- Le café
- Les céréales
- La confiture
- Un croissant
- Le lait
- Le pain
- La pita
- Le riz
- Une tartine
- Le thé

Les petits-déjeuners du monde

4 Lisez.

Florence, Waël, Mary et Yukiko discutent sur un forum. Qu'est-ce qu'ils mangent ? Qu'est-ce qu'ils ne mangent pas ?

LE PETIT-DÉJEUNER DANS LE MONDE

Florence Moi, je mange des tartines de pain avec du beurre et de la confiture. C'est le petit-déjeuner français typique.

Waël Moi, c'est Waël. Je suis libanais. Au Liban, on mange du labneh (un fromage) avec de la pita (une sorte de pain). C'est très bon !

Mary Salut. Je suis anglaise, et le petit-déjeuner traditionnel c'est des œufs brouillés avec du bacon et du thé. Moi, je ne mange pas de bacon et je ne mange pas d'œufs, alors je mange des céréales avec du lait.

Yukiko Bonjour. Je suis japonaise. Le petit-déjeuner japonais c'est du riz avec des œufs et du thé. Mais je déteste ça ! Je préfère les croissants !

5 Discutez.

Qu'est-ce que vous mangez au petit-déjeuner ? Qu'est-ce que vous ne mangez pas ? Comparez avec vos camarades.

La quantité négative

Observez.

Je mange du bacon.
→ *Je ne mange pas de bacon.*

Cherchez dans le forum une autre phrase avec une quantité négative.

6 Écrivez.

Quel est le petit-déjeuner typique de votre pays ? Écrivez un message sur le forum.

Projet – Étape 2 : Les habitudes alimentaires

Quels sont les plats typiques du pays de vos correspondants ? Quels sont les aliments typiques de leurs repas ? Cherchez des informations sur leurs habitudes alimentaires. Mettez en commun vos résultats et gardez-les pour la suite du projet.

3. Posons des questions

Premier jour

 **Écoutez.** 

C'est le premier jour d'Adeline, une jeune serveuse. Elle est nerveuse et fait des erreurs.

a. Associez les noms aux images.

la salade niçoise | la bouteille d'eau | le steak frites | le jus de fruits

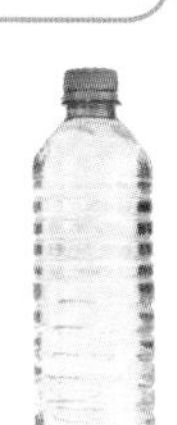

c. Relevez les phrases exactes.

a. Les clients commandent de l'eau et un jus de fruits.
b. L'homme commande une salade niçoise.
c. Dans la salade niçoise, il y du riz, des tomates et des champignons.
d. L'homme n'a pas de couteau.

> ***Au restaurant***
> · Une boisson · Un menu
> · Une carte · Un dessert

b. Retrouvez.
Adeline apporte au client :

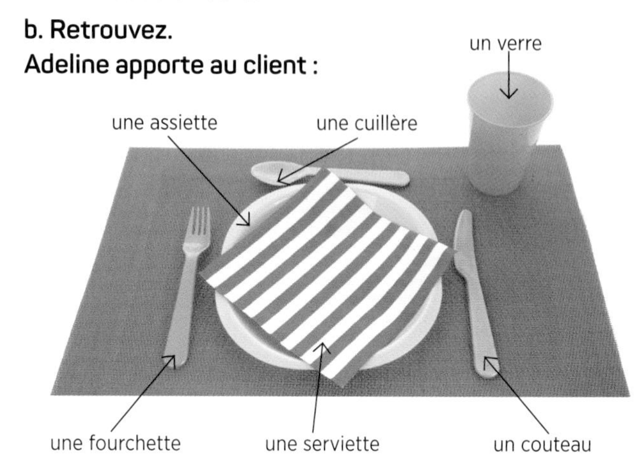

 **Parlez.** 

Adeline prend la commande des desserts. Imaginez le dialogue. Demandez des précisions sur les desserts.

une tarte

un gâteau au chocolat

une glace

Jouons !

 **Écoutez.** 

Un journaliste anime un jeu gastronomique à la radio.
a. Retrouvez les questions.

Question 1 : ....
a. le hamburger b. les frites c. la pizza
Question 2 : ...
a. un restaurant b. un sandwich c. une crêpe espagnole
Question 3 : ...
a. le jus de fruits b. le café c. l'eau

b. Écoutez une nouvelle fois le document. Choisissez la bonne réponse dans l'exercice précédent.

 **Écrivez.**

Préparez 3 questions pour le jeu de l'activité 3.
Exemple : ***Quel est l'ingrédient principal d'un sandwich : Les champignons ? La mayonnaise ? Le pain ?***

Posez vos questions aux autres groupes. Ils répondent.

Pause déjeuner

6 Lisez.

Lisez les messages et répondez aux questions. Flavie, Jamel, Victor et Lola ont 30 minutes pour déjeuner entre les cours.

a. Quel plat propose Victor ?
b. Quel type de restaurant est rue de la Comédie ?
c. Qu'est-ce que Lola vient de commander ?

7 Écrivez.

Qu'est-ce qu'ils viennent de faire ? Écrivez des phrases avec le passé récent.

Il / appeler la serveuse

Nous /arriver à la maison

Tu / manger ta salade niçoise

Je / recevoir un message

Le passé récent

Observez.

Je viens de commander des pizzas !

Relevez une autre phrase au passé récent dans les messages des trois amis. Déduisez la construction du passé récent.

Projet – Étape 3 : Les questions

Vous désirez connaitre les goûts et les habitudes alimentaires de vos futurs correspondants. Préparez un questionnaire de 5 questions à choix multiples (avec des propositions de réponses). Vous pouvez vous inspirer des questions de cette leçon. Conservez ces questions pour la suite.

Vous pouvez utiliser l'application *Kahoot* pour créer votre questionnaire ou d'autres programmes gratuits disponibles sur Internet.

Unité 4

4. Présentons les résultats

On n'aime pas manger de tout ! On préfère parfois le salé au sucré. On peut ne pas aimer les œufs ou le fromage. Et puis, il y a aussi des modes.

La génération Z

La génération Z aime cuisiner.

1 Lisez.

a. La génération Z c'est quoi ?
b. Quelles sont les caractéristiques des produits frais ?
c. Quels types de plats est-ce qu'ils cuisinent ?
d. Quels sont leurs plats préférés ?

La génération Z : La génération salade !

La génération Z veut des produits frais (viande, œufs, fruits et légumes) de leur région et bio. Ces jeunes (nés dans les années 2000) se préoccupent des aliments dans leur assiette. Ils préfèrent le fait-maison et veulent apprendre à cuisiner des plats simples, rapides et pas chers. Ils adorent les sandwiches et les salades (ils utilisent une « *lunchbox* »).
Mais attention ! Ils achètent toujours des barres de céréales, boivent du soda et aiment les plats à emporter. Supprimer la malbouffe n'est donc pas d'actualité.

2 Lisez.

Voici un questionnaire sur les habitudes alimentaires. Répondez aux questions.

Quelles sont vos habitudes alimentaires ?

❶ Vous organisez un déjeuner avec vos amis. Vous ...
a. réservez une table dans un restaurant.
b. commandez un repas par téléphone.
c. vous donnez rendez-vous au fast-food.

❷ Vous avez faim mais ce n'est pas l'heure de manger. Vous ...
a. mangez un fruit.
b. attendez.
c. mangez un gâteau.

❸ Le soir, vous mangez...
a. des fruits.
b. une salade et de la viande.
c. une pizza.

3 Parlez.

Comparez vos réponses. Présentez les résultats à la classe.

Le verbe « vouloir »
(Tableau de conjugaison p. 114.)

Complétez.

Je veux / Tu veux / Il / Elle ... / Nous voulons
Vous voulez / Ils / Elles ...

4 Parlez.

La génération Z, c'est vous ! Alors, vous, qu'est-ce que vous voulez ? Interrogez votre voisin de classe puis rapportez ses paroles.

Exemple : *Je veux manger des produits bio / Je ne veux pas manger de viande. → Il ne veut pas manger de viande.*

Je voudrais des chips

5 Écoutez. 39

Paul commande à manger par téléphone.

a. Paul commande combien de menus ?
b. Avec quelles boissons ? Quel est le dessert ?
c. Combien coûte la commande ?
d. La commande arrive à quelle heure ?

6 Lisez.

Paul envoie un SMS au restaurant.
Relevez les changements dans la commande.

> Bonjour,
> Je viens de commander un menu par téléphone.
> Je voudrais ajouter des chips et remplacer la bouteille d'eau par du jus de fruits.
> Pour le dessert, j'aimerais une glace.
> C'est possible ?
> Merci.

7 Écrivez.

Reformulez le sms en remplaçant les aliments par des produits frais et bio.

 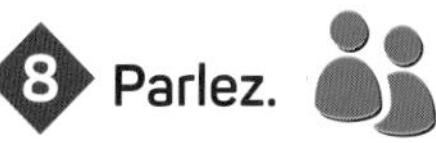

8 Parlez.

Vous commandez un repas. Utilisez le conditionnel de politesse et le verbe « vouloir ». Vous pouvez vous aider des photos.

Le conditionnel de politesse

- *Je **voudrais** ajouter des chips.*
- *J'**aimerais** une glace.*

PROJET

Enquêtons sur les habitudes alimentaires

Quelles sont les habitudes alimentaires de vos futurs correspondants ? Vous réalisez une enquête et vous présentez les résultats sur le mur virtuel de la classe.

◈ Analysez les réponses de vos correspondants et sélectionnez les informations importantes.
◈ Choisissez un support pour présenter vos résultats (blog, vidéo etc.) et répartir les temps de parole. N'oubliez pas d'ordonner vos idées.
◈ Pensez à la mise en page. Vous pouvez intégrer des photos des plats et des aliments.
◈ Publiez les résultats de votre enquête sur le mur virtuel de la classe.

Grammaire

Les articles partitifs

▸ Observez

 1 **Lisez.**

Lisez cette conversation et répondez aux questions.

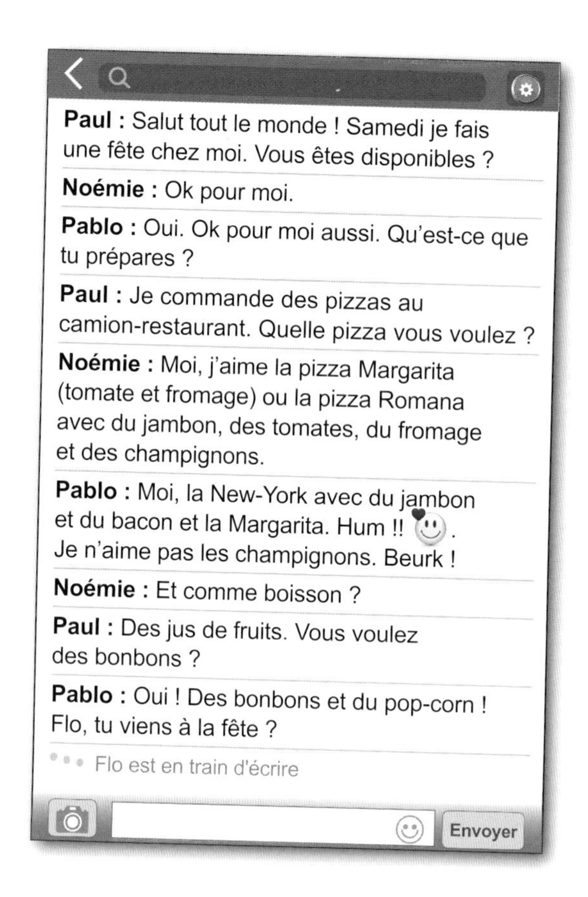

Les articles partitifs

On utilise les articles partitifs quand on veut exprimer **une quantité non déterminée**.
Exemple :
Un *jus de fruit* (la quantité est précise) ≠
du jus de fruit (la quantité n'est pas précise)
Les articles partitifs s'accordent avec le substantif.

Complétez.
→ Le substantif est **masculin singulier**, j'utilise du.
→ Le substantif est **féminin singulier**, j'utilise ...
→ Le substantif est **masculin** ou **féminin singulier** et commence par une voyelle ou un « h », j'utilise de l'.
→ Le substantif est masculin ou féminin pluriel, j'utilise ...

Attention ! On utilise de pour exprimer une quantité négative.
*Je mange **un** croissant.* → *Je **ne** mange **pas** de croissant.*
Nous voulons du pain. → *Nous **ne** voulons **pas** de pain.*

 2 **Répondez.**

a. Noémie aime quels ingrédients dans la pizza ?
b. Quel ingrédient Pablo n'aime pas dans la pizza ?
c. Quels autres aliments veut Pablo ?

 3 **Écrivez la réponse de Flo sur le forum.**

▸ Appliquez

 4 **Complétez les phrases avec l'article partitif :**

du, *de la*, *des*, *de* ou *d'*.

a. Dans la salade niçoise il y a ... riz et ... œufs.
b. Les Français mangent ... pain avec ... beurre. et ils boivent ... jus de fruits pour le petit-déjeuner.
c. Je ne mange pas ... viande.
d. Vous voulez manger ... poulet ou ... poisson ?
e. Il n'y a pas ... œufs dans le tajine.
f. Les ingrédients pour préparer des crêpes sont ... lait, ... beurre, ... œufs, ... farine et ... sucre.

 5 **Passez les phrases à la forme affirmative.**

a. Je n'ai pas de salade dans mon sandwich.
b. Marion ne mange pas de chips.
c. Alex et John ne veulent pas de café.
d. Nous ne mangeons pas de pain au petit-déjeuner.
e. Je ne veux pas d'œufs dans ma salade.

6 **Répondez aux questions à la forme affirmative ou négative.**

a. Antoine, tu manges de la viande ? Oui, ...
b. Vous voulez de l'eau ? Non, ...
c. Tu veux du thon dans ton bagel ? Oui, ...
d. Il y a des légumes dans ce plat ? Non, ...

Le verbe « manger »

▸ Observez

Le verbe « manger » (Tableau de conjugaison page 113)

C'est un verbe régulier.

Complétez.
Je mange, tu ..., il / elle mange, nous mangeons, vous ... , ils ...

Utilisons les outils de la langue

▶ Appliquez

7 Complétez les phrases avec le verbe « manger ».

a. Je ... des fruits au goûter.
b. Alex et Julien ... souvent des bonbons.
c. Nous ... un bagel poulet mayonnaise.
d. Qu'est-ce que vous ... au déjeuner ?

Les articulateurs du discours

▶ Observez

Les articulateurs du discours

- Pour énumérer → et
- Pour proposer des options → ou
- Pour faire une conclusion → donc, alors
- Pour ajouter une idée → après

▶ Appliquez

8 Complétez les phrases avec « et », « ou » ou « donc ».

a. Axel mange une pizza ... des frites.
b. Vous voulez de l'eau ... un jus de fruits ?
c. J'aime la viande ... je mange souvent du poulet.
d. Le matin, je mange des tartines ... des croissants.
e. Je voudrais un steak avec de la salade ... des frites.

9 Terminez librement les phrases.

a. Je mélange le sucre et le lait. Après, ...
b. Je voudrais une salade niçoise et ...
c. Vous préférez le café ou ...
d. Je déteste les légumes. Donc, ...
e. Il n'y a pas de sel sur les frites. Alors, ...

Le verbe « vouloir »

▶ Observez

Le verbe « vouloir » (Tableau de conjugaison page 114)

Il exprime la **volonté**, le **désir**.
On utilise un **substantif** ou un **verbe à l'infinitif** après.

Complétez.

Je veux, tu ..., il / elle veut, nous ..., vous voulez, ils / elles ...

Le passé récent

▶ Observez

Le passé récent

Formation :
Venir (au présent de l'indicatif) + de + verbe à l'infinitif
Je viens de commander des pizzas.
Elle vient de commander.
Vous venez de terminer votre repas.

Complétez.

Je ..., tu viens, il / elle ..., nous venons, vous ..., ils / elles viennent

Attention : si le verbe à l'infinitif commence par une voyelle **de** devient d' :
Le restaurant vient d'ouvrir (~~de ouvrir~~).

▶ Appliquez

10 Complétez les phrases avec le verbe « venir » au présent.

a. Tu ... de manger une salade.
b. Elles ... de sortir du restaurant.
c. Je ... d'apporter le dessert.
d. Vous ... d'acheter des fruits.
e. Il ... de changer sa commande.

11 Composez des phrases, comme dans l'exemple.

Je / manger des fraises → Je viens de manger des fraises.

a. Arthur / commander un bagel.
b. Zoé et moi / boire un café.
c. Nous / arriver au fast-food.
d. Sophie et Amanda / préparer un pancake.
e. Je / verser le mélange.

▶ Appliquez

12 Complétez les phrases avec le verbe « vouloir ».

a. Je ... manger des pommes de terre.
b. Remi et moi ... aller au fast-food.
c. Pour son anniversaire, il ... commander des gâteaux.
d. Vous ... un café ?
e. Elles ... manger un sandwich.

Les sons [e], [œ] et [ɛ]

 **Écoutez.** 

Écoutez les trois mots. La prononciation est identique ou différente ?

Les – Le – Lait

 **Observez.**

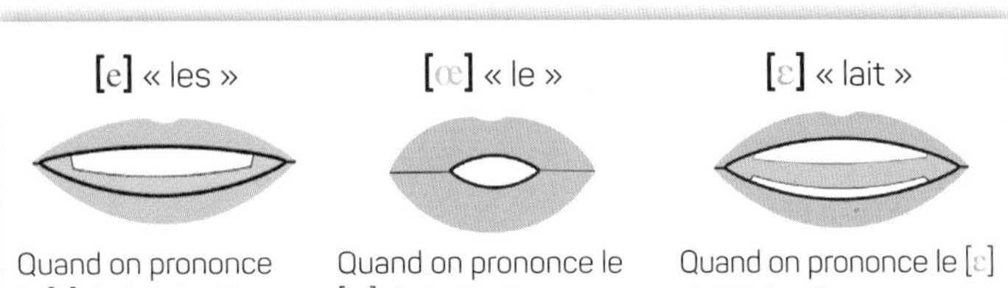

[e] « les »	[œ] « le »	[ɛ] « lait »
Quand on prononce le [e] de ***les***, les lèvres sont étirées mais la bouche est presque fermée.	Quand on prononce le [œ] de ***le***, les lèvres sont en avant et la bouche est presque fermée.	Quand on prononce le [ɛ] de ***lait***, les lèvres sont étirées mais la bouche est ouverte.

 **Écoutez.** 

Quel son vous entendez ?

	[e]	[œ]	[ɛ]
a. Lait			
b. Café			
c. Assiette			
d. Céréales			
e. Petit			

 **Écoutez.** 

Levez la main quand vous entendez le son [ɛ].

a. Je voudrais du pain, s'il vous plaît.
b. Qu'est-ce que vous mangez au petit-déjeuner ?
c. Je n'ai pas d'assiette.
d. J'aimerais un verre de lait frais.
e. Je mange avec une fourchette.
f. Elle adore les hamburgers.

 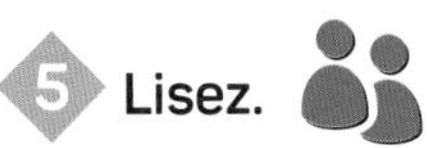

Par deux, lisez les phrases de l'activité 4.

 **Écoutez.** 

Relevez les mots où vous entendez le son [œ]. Cochez la case.

	J'entends [œ]
a.	X
b.	
...	

 **Écoutez.** 

Vous entendez le son [e] ou le son [ɛ] ?

	[e]	[ɛ]
a.		X
b.		
...		

 **Écoutez.** 

Copiez les phrases. Écoutez et soulignez en rouge le son [e], en vert le son [œ] et en bleu le son [ɛ].

a. Vous voulez du café ou du thé avec du lait ?
b. Je déteste le poulet.
c. Mélangez une cuillère à café dans un verre d'eau.
d. J'adore les œufs brouillés pour le petit-déjeuner.
e. Il n'y a pas de verre sur la table.
f. La glace au café est sur le menu.

 **Parlez.** 

Vous avez une minute pour trouver le plus de mots avec le son [œ], puis une minute pour trouver des mots avec le son [e] et enfin une minute pour trouver des mots avec le son [ɛ]. Mettez tous les mots en commun.

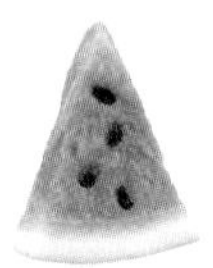    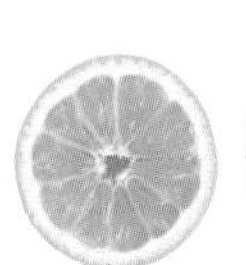 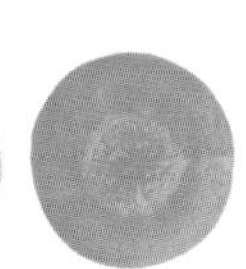  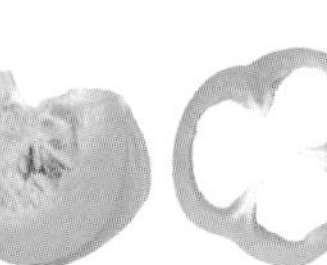 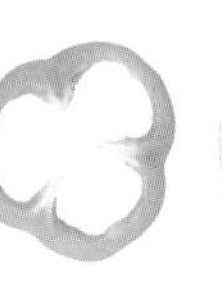  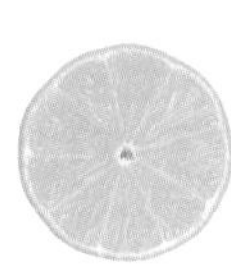 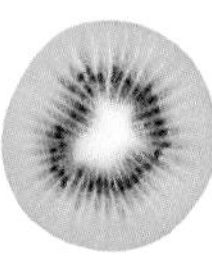 

Utilisons les outils de la langue

Écrivez.

Complétez le nuage avec les mots de l'unité.

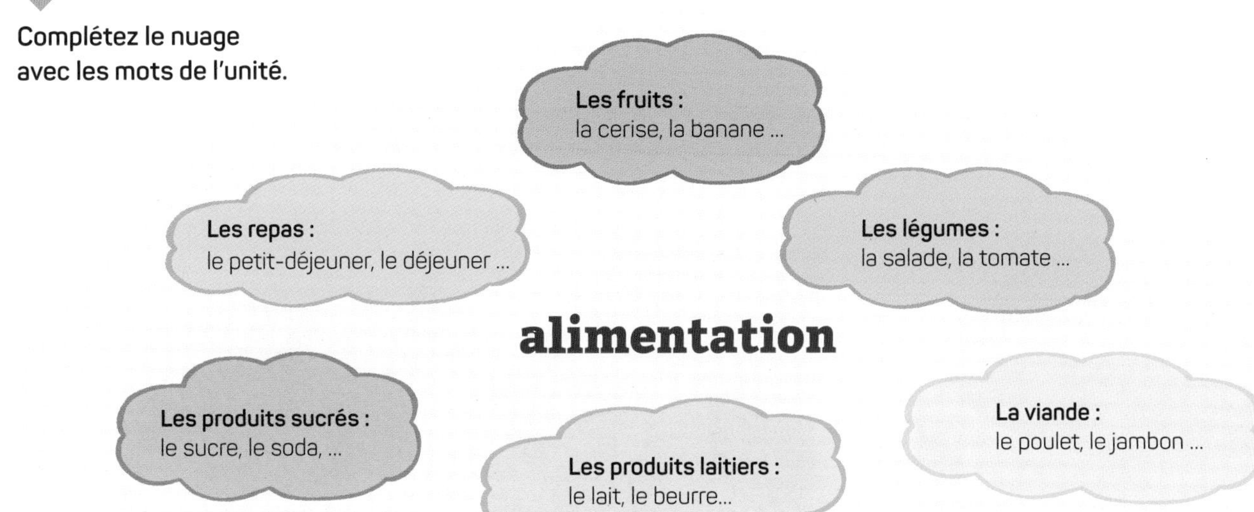

Écrivez.

Complétez ce forum avec les verbes de goût suivants :

adorer (♥♥) – aimer (♥) – préférer (✗♥ ♥) –
ne pas aimer (✗♥) – détester (✗♥✗♥)

Margot	Bonjour. Quels sont vos aliments préférés ?
Johnny	Salut Margot, moi j' ♥♥ les frites. Je ✗♥✗♥ les légumes.
Carole	Tu ✗♥✗♥ ??? Incroyable !! Moi, j ♥ les légumes. J' ♥♥ les tomates et la salade.
Medhi	Moi, je ✗♥ ♥ les pommes de terre.
Carole	Et bien moi, je n' ✗♥ la viande !!!

Écrivez.

Complétez avec les mots.

verre – couteau – fourchette – assiette

a. Ma pizza est dans mon ... .
b. Je mange ma salade avec ma ... .
c. Est-ce que je pourrais avoir un ... pour ma viande, s'il vous plaît ?
d. Il y a de l'eau dans mon ... .

Parlez.

Observez cette photo et nommez les aliments.

Écrivez.

Composez votre déjeuner. Écrivez des phases avec « Je voudrais » ou « J'aimerais ».

Unité 4

Faisons le point

Vous organisez un repas avec vos amis. Choisissez deux plats. Expliquez la recette (ingrédients, quantité, etc.). Posez des questions pour savoir s'ils aiment ou non vos propositions.

une soupe

un couscous

une quiche

un gâteau au chocolat

un gratin de pâtes

une omelette

une salade de fruits

Unité 5

PAUSE SHOPPING

Projet

Créons notre carnet de mode

Nous créons un carnet de mode pour nos correspondants. Nous décrivons nos vêtements et nos accessoires. Nous faisons nos courses, nous échangeons nos achats et nous publions notre tuto mode sur le mur virtuel de la classe.

Un mur virtuel

Nous allons :

1. Habillons-nous !

Louise est blogueuse. Dans ses vidéos, elle parle de mode.

Minute mode

 **Regardez la vidéo 9 « Le blog mode ».** 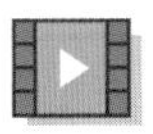

Relevez les phrases exactes.

a. Louise parle des vêtements à la mode.
b. Le pantalon noir est un vêtement indispensable.
c. Louise déteste les pantalons classiques.
d. La couleur préférée de Louise est le bleu.
e. Les filles peuvent porter une jupe blanche en été.

 **Associez.**

a. Associez les photos aux noms des vêtements.

1

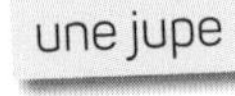
une jupe

des tongs

2

3

des bottes

4

5

6

une chemise

des baskets

7

un tee-shirt

un pantalon

b. De quelles couleurs sont les vêtements ?

> ***Les couleurs et les motifs***
>
> - Noir (e)
> - Blanc / blanche
> - Bleu (e)
> - Vert (e)
> - Rouge
> - Rose
> - Marron
> - à fleurs / rayures / carreaux

Les questions des internautes

 **Observez.**

Pierrot, Jenny, Tom et Naïma écrivent à Louise. Lisez ses conseils.

a. Observez les photos et décrivez les vêtements.
b. Qu'est-ce que Louise conseille à Pierrot et à Naïma ?

> ***Les vêtements***
>
> - Un bermuda
> - Une robe
> - Une veste
> - Une écharpe
> - Une doudoune
> - Des chaussures (à talons)

Jenny	Salut Louise. Moi, je vais à la plage. Qu'est-ce que je mets ?
Louise	Salut Jenny ! Tu mets un tee-shirt gris à rayures et une jupe rose ! Mais, s'il te plaît, pas de tongs !
Pierrot	Super vidéo Louise ! J'habite au Canada. Ici c'est l'hiver ! Qu'est-ce que tu portes toi en hiver ? À part la doudoune, bien sûr…
Louise	Bonjour Pierrot ! Moi je porte un pull et de grosses bottes. Je mets aussi une écharpe XXL et un bonnet ! C'est super tendance !
Tom et Naïma	Louise, à l'aide !! Nous avons un gros problème : il y a une fête au lycée. Qu'est-ce que nous mettons ?
Louise	Salut ! Et bien toi, Tom tu mets un pantalon noir, une chemise bleue et une veste avec des baskets de ville et toi Naïma tu mets une robe à fleurs, et des chaussures à talons.

4 Écrivez.

Choisissez un commentaire et imaginez la réponse de Louise.

Judith	Salut Louise ! Je vais à la montagne avec ma classe. Qu'est-ce que je mets dans ma valise ?
Aaron	Louise, j'habite au Vietnam. Il fait chaud. Qu'est-ce que je mets pour être à la mode ?

5 Parlez.

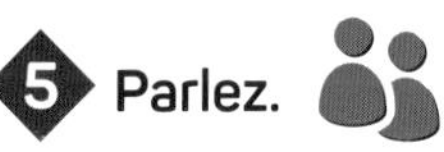

Décrivez les vêtements de votre voisin de classe. Utilisez les verbes « mettre », « porter ».
Exemple : *Il / Elle met... ; Il / Elle porte...*

Parler de son look
- Mettre
- S'habiller
- Porter

Casquette ou bonnet ?

6 Lisez.

Lisez cette conversation et répondez aux questions.
a. Quels accessoires Ilona propose ?
b. Quel accessoire Alex n'aime pas ?
c. Quels accessoires sont à la mode pour Carole ?

Hector
Salut tout le monde ! Je ne sais pas quel accessoire choisir pour mon concert de ce soir. Vous m'aidez ?

Ilona
Salut Hector. Moi j'aime le collier. Je n'aime pas la casquette. Je préfère ce bonnet. Regarde :

Ah et j'aime aussi cette montre.

Alex
Je suis d'accord avec Ilona, mais je n'aime pas beaucoup les bonnets. Je préfère cette casquette :

Carole
Hector, ces accessoires sont démodés ! Voici des accessoires à la mode :

Abdel
••• Est en train d'écrire.

7 Écrivez.

Imaginez la réponse d'Abdel.
Utilisez les adjectifs démonstratifs.
Recherchez des photos.

L'adjectif « quel »

Quel accessoire est tendance ?
Quels autres accessoires ?
Quelle est la tendance ?
Quelles sont les couleurs tendance pour le bonnet ?

8 Parlez.

Vous partez en vacances d'hiver. Votre voisin de classe vous dit quels vêtements vous devez mettre dans votre valise.

Les adjectifs démonstratifs

Complétez.
Ce bonnet
... casquette
... accessoires

Projet : Étape 1 : Les vêtements et les accessoires

Qu'est-ce que vous portez aujourd'hui ? N'oubliez pas de le noter !

Formez des groupes de 3 ou 4 personnes. Vous avez 5 minutes pour trouver le maximum de vêtements et accessoires. Classez les vêtements et accessoires en plusieurs catégories (hiver, été, accessoires etc.). Mettez vos listes en commun. Conservez ces listes pour la suite du projet.

2. Choisissons notre style

Un style pour la rentrée

 Lisez.

Il existe plusieurs styles vestimentaires : classique, gothique, emo, hispter ... Et vous, quel est votre style ?

a. Quel est le style de cette année ?
b. Quelles sont les caractéristiques des tee-shirts de ce style ?
c. Comment sont les couleurs cette année ?
d. Relevez ce qui est à la mode et ce qui est démodé.

 Écrivez. 

C'est la rentrée. Vous donnez des conseils à un(e) ami(e) pour être tendance. Utilisez le verbe « devoir ».

Le retour du Vintage

C'est la rentrée ! Retour au lycée : les profs, les devoirs, les examens ... et le look doit être branché bien sûr ! Mais quelles sont les tendances pour cette rentrée ?

Le retour des marques
Cette année, le style vintage et « Old School » est tendance. C'est le style à l'ancienne, le retour des marques des années 90 comme *Le Coq Sportif*, *Kappa* ou *Fila*.

Le style « Old School »
Pour cette rentrée, les sneakers (les baskets en français) doivent être blanches et neuves. Les tee-shirts sont gris ou noirs avec les gros logos de la marque au centre. Et on doit porter des jeans simples bleus ou noirs : cette année c'est le retour du basique et des couleurs discrètes. Vous devez mélanger les couleurs (un tee-shirt vert avec un pantalon jaune par exemple, c'est chic).

À chacun son look

 Lisez.

Des lycéens présentent un carnet de mode.
Relevez les affirmations exactes.

a. Le bonnet est un élément essentiel pour le hipster.
b. Le look émo ne ressemble pas au look gothique.
c. Le look de Pedro s'inspire des rappeurs.
d. Tous les vêtements de Chloé sont démodés.

Le verbe « devoir »

Complétez.

Je dois	Nous devons
Tu dois	Vous ...
Il / Elle ...	Ils / Elles doivent

Décrire un look

Positif	Négatif
· Pas mal	· Ringard
· Chic	· Démodé
· Branché(e)	
· À la mode	

Tous les styles sont permis !

- **Lucas le hipster**
Il porte un bonnet, une chemise à carreaux et un jean très vintage.
- **Ana l'émo**
Cheveux longs (noirs avec des mèches de couleurs), des vêtements sombres, parfois quelques accessoires de couleur et des tatouages.
- **Pedro le rappeur**
Lunettes de soleil, colliers, tee-shirts et jeans trop grands.
- **Chloé la fashionista**
Chloé est toujours à la mode. Tous ses vêtements sont de marque.

Parlez.

Quels autres accessoires pourraient porter Lucas, Ana, Pedro et Chloé ?

C'est à qui ?

Écoutez.

À qui est ce pull ? Écoutez cette conversation entre copains et répondez aux questions.
a. De quel vêtement parle Killian ?
b. Qui a le même vêtement ?
c. À qui appartient ce vêtement ?

Écrivez.

Choisissez une personne sur la photo et décrivez-la. Utilisez les expressions pour décrire un look.
Exemple : *Elle s'appelle Manon. Elle porte un chapeau. C'est à la mode.*

Parlez.

Un copain de classe veut changer de style. Vous le conseillez. Imaginez le dialogue.

> **L'appartenance**
>
> Complétez.
>
> *À qui est ce pull ?* — *C'est ... pull.*
>
> *C'est le pull de Florent.* — *C'est ... moi.*

Parlez.

Posez des questions pour faire découvrir à qui appartiennent les vêtements.
Exemple : *À qui est la veste ? C'est à Léo. / C'est la veste de Léo. / C'est sa veste*

Projet – Étape 2 : Notre look 

Est-ce que vous suivez une mode ? Quel est votre style ? Rédigez une courte présentation pour décrire et caractériser votre look. Nommez vos vêtements et accessoires. N'oubliez pas les matières et les couleurs. Gardez votre présentation pour la suite du projet.

3. Faisons nos achats

La technologie est très présente dans notre vie.
Voici les objets d'aujourd'hui et de demain.

Connectons-nous !

 **Regardez la vidéo 10 « Objets connectés ».** 

a. Combien d'objets connectés sont présentés ?
a. 5 – b. 6 – c. 4

b. Répondez aux questions.
a. Quel objet on utilise pour appeler ou envoyer des messages ?
b. Quel objet connecté on peut utiliser avec un téléphone portable ?
c. Pourquoi on utilise la tablette ou l'ordinateur portable à la maison ?
d. Qu'est-ce qui est important dans notre vie ?

Le futur proche

Observez.
Vous allez écouter de la musique sans casque.
Comment on forme le futur proche ? Relevez une autre phrase au futur proche dans le texte.

Les objets électroniques

- Une console de jeu
- Un téléphone portable
- Une montre connectée
- Une liseuse
- Une tablette
- Un ordinateur portable

 **Identifiez.**

Nommez les objets.

1

2

3

4

 **Lisez.**

Lisez cet article et relevez les particularités du bonnet connecté. A quoi il sert ? Qu'est-ce que vous pouvez faire grâce à lui ? Combien il coûte ?

Le bonnet connecté : le cadeau idéal

Vous voulez être à la mode ? Demandez un bonnet connecté à vos parents !
Vous allez écouter de la musique sans casque ni écouteurs. Pendant l'hiver, il va devenir un objet indispensable pour avoir chaud et écouter votre artiste préféré.
Il existe en bleu, blanc ou rose, d'autres couleurs vont être bientôt disponibles. Son prix ? Seulement 29€90 sur www.archos.com

 **Présentez.** 

Imaginez un objet connecté. Décrivez cet objet à la classe. Expliquez à quoi il sert et quel va être son prix.

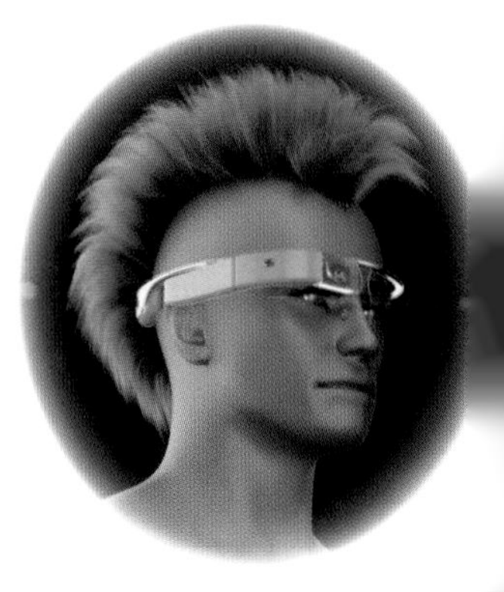

Un cadeau d'anniversaire

 **Lisez.**

Ce groupe d'amis cherche un cadeau pour un anniversaire.

a. Quelle idée de cadeau propose Océane ? Et Mathis ?
b. Quel est le problème du cadeau d'Océane ?
c. Finalement, quel cadeau ils préfèrent ?
d. Que vont acheter Océane et les autres ?

Salut Mathis ! C'est l'anniversaire de Sandra vendredi. Qui va acheter un cadeau ?

Salut Océane. Moi, si tu veux, mais quoi ? Une montre connectée ? Elle est toujours en retard, c'est un bon cadeau, non ?

1

2

3

4

 **Écoutez.**  47

Julie va acheter une tablette. Elle pose des questions au vendeur. Écoutez le dialogue.

a. Relevez les affirmations exactes.

a. Le vendeur propose trois modèles de tablette.
b. Le prix des tablettes est trop cher.
c. Le bracelet électronique coûte 100 euros.
d. La liseuse coûte 150 euros.

b. Trouvez les questions pour les réponses suivantes. Écoutez de nouveau le dialogue si nécessaire.

a. Entre 1000 et 1500 livres.
b. Il coûte 200 euros.
c. 50 €.

L'adverbe interrogatif « combien »

Observez.

Combien il coûte ?

Retrouvez dans le dialogue d'autres questions avec « combien ».

Les adverbes de quantité

Indiquez si les mots en gras correspondent à une grande ou à une petite quantité.

*C'est **assez** cher.*
*C'est **trop** cher.*
*Elle lit **beaucoup**.*
*C'est **un peu** ringard.*

Le verbe « acheter »

Complétez.

J'achète
Tu ...
Nous achetons
Vous achetez
Ils / Elles ...

Projet – Étape 3 : Vos objets préférés 

En groupe, listez les objets préférés des élèves de votre classe et classez-les par catégorie.

4. Échangeons nos achats

Tous ces magasins français !

 Lisez.

Lisez la présentation de ces magasins très connus en France et à l'étranger, puis complétez le tableau.

Décathlon est une chaîne française de magasins. On peut acheter des vêtements et des accessoires pour le sport. Décathlon est présent dans 44 pays sur tous les continents du monde.

Celio est le leader des magasins de vêtements pour hommes. Il y a des magasins dans 60 pays du monde entier.

© DURAND FLORENCE/SIPA

fnac La Fnac est une enseigne de distribution de biens culturels, de loisirs et de produits techniques. On peut acheter des livres, des CD mais aussi des ordinateurs portables et des objets connectés. Il y a des magasins dans 12 pays.

Avec 12 000 magasins dans plus de 30 pays, le Groupe Carrefour est un des leaders mondiaux du commerce alimentaire. Dans un hypermarché Carrefour, vous pouvez acheter tout type de produits (alimentaires, technologiques, vêtements, etc.).

	PRODUITS VENDUS
Décathlon	Accessoires et vêtements de sport
Carrefour	...
Celio	...
Fnac	...

 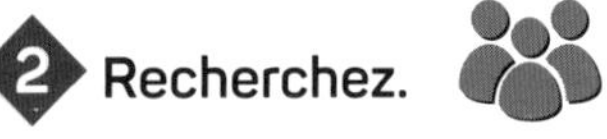 Recherchez.

Choisissez une autre chaîne française installée à l'international. Présentez-la à votre classe : Qu'est-ce qu'elle vend ? Dans combien de pays ?

 Écrivez.

Présentez un magasin important dans votre pays. Écrivez un petit texte comme dans l'activité précédente.

De la laine pour l'hiver

4 Lisez.

Vous achetez des vêtements et des accessoires sur Internet. Lisez les descriptions, quelles sont les matières des vêtements ?

Les matières

- Le coton / en coton
- La laine / en laine
- Le plastique / en plastique
- Le cuir / en cuir

Top Mode

Pantalon à fleurs
Pantalon en coton.
Idéal pour les sorties entre amis.
Disponible en plusieurs tailles (du 36 au 42).
Couleurs : noir ou bleu
Prix : 29,99 €

Top Mode

Pull en laine
Pull en laine ou en coton.
Parfait pour la saison automne-hiver.
Disponible en plusieurs tailles (du XS au XXL).
Couleurs : jaune, vert, bleu ou rose.
Prix : 49,99 €

5 Écoutez.

Camille et Olivia consultent ensemble le catalogue de Top Mode. Pourquoi Olivia n'aime pas la laine ? Le coton, c'est pour quelle saison ?

Le complément du nom

Complétez.

La commande d'un pantalon
Le bracelet ... la montre
Un pull vert ... laine
Un bracelet ... cuir

6 Parlez.

Vous écrivez un mail au service client. Vous n'avez pas de réponse alors vous téléphonez.

Bonjour,
Je viens de recevoir ma commande d'une montre connectée. Le bracelet de la montre est en plastique mais je voudrais un bracelet en cuir. Est-ce que je peux échanger cet article ?
Cordialement,
Jérôme Lombard

PROJET

Préparons le carnet de mode

Quel sont les vêtements, les accessoires et les objets à la mode dans votre classe ? Vous publiez un carnet de mode sur le mur virtuel de la classe.

- Reprenez les étapes 1, 2 et 3 du projet.
- Demandez à vos correspondants d'échanger des produits avec vous (vêtements, accessoires, objets connectés etc.)
- Choisissez le support de votre carnet de mode (vidéo, article, etc.). Si vous choisissez un article, faites attention à l'orthographe et à la grammaire. N'oubliez pas de choisir des photos et des images pour accompagner vos descriptions. Si vous choisissez une vidéo, portez les vêtements et accessoires et parlez lentement.
- Publiez votre carnet de mode sur le mur virtuel de la classe.

Vous pouvez vous prendre en photo avec vos looks et accessoires pour illustrer votre carnet de mode.

Grammaire

L'appartenance

▸ Observez

L'appartenance

Pour exprimer l'appartenance on utilise :
- C'est + objet + de + nom du possesseur
- Objet + est à + nom du possesseur

Attention :

~~de + le~~ → du ~~à + le~~ → au
~~de + les~~ → des ~~à + les~~ → aux

▸ Appliquez

1 Faites des phrases comme dans l'exemple.

Exemple : *pull vert / Florent → C'est le pull vert de Florent. Ce pull est à Florent.*

a. Montre / Marie
b. Pantalon rouge / Dylan
c. La valise / les correspondants
d. Chemise noire / le directeur

S'habiller, mettre, porter

▸ Observez

S'habiller, mettre, porter

Pour parler de son look on peut utiliser :
Mettre ou porter + un vêtement ou un accessoire
Pour poser une question sur un look, on peut utiliser le verbe s'habiller.
Exemple : *Comment tu t'habilles pour sortir avec tes amis ?*

▸ Appliquez

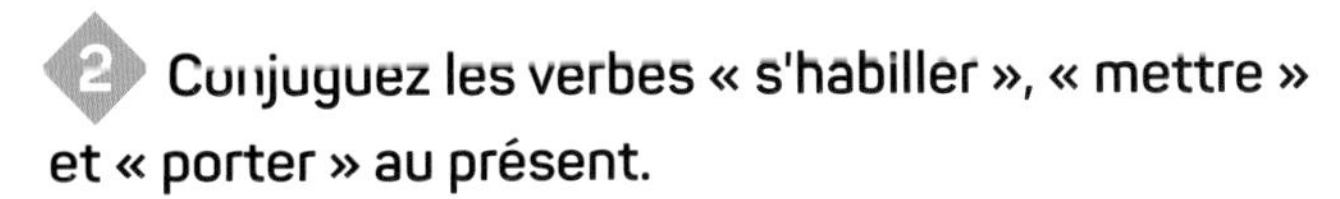

2 Conjuguez les verbes « s'habiller », « mettre » et « porter » au présent.

3 Conjuguez les verbes entre parenthèses.

a. Nina, comment tu (s'habiller) ... pour aller à la plage ?
b. Le week-end, je (porter) ... un tee-shirt et une casquette.
c. En hiver nous (mettre) ... des écharpes.
d. Comment vous (s'habiller) ... le week-end ?
e. Andrea et Louis (mettre) ... baskets pour aller au lycée.

Les adjectifs démonstratifs

▸ Observez

Les adjectifs démonstratifs

- ce + mot masculin
- cette + mot féminin
- ces + mot pluriel

Attention : on utilise cet avec un mot masculin qui commence par une voyelle ou un « h » muet..
Exemple : Cet ordinateur – cet homme

▸ Appliquez

4 Complétez les phrases avec l'adjectif démonstratif correct.

a. J'adore ... bermuda ! Il est vraiment tendance.
b. Elle vient d'acheter ... robe et ... chaussures dans ... magasin de vêtements.
c. Jordy aime beaucoup ... tablette et ... ordinateur.
d. Sofia veut acheter ... vêtements sur ... site Internet.

5 Qu'est-ce que vous allez faire le week-end prochain ? Utilisez le futur proche pour répondre.

Le verbe « devoir »

▸ Observez

Le verbe « devoir » (Tableau de conjugaison page 114)

Pour exprimer une obligation on utilise :
– devoir + verbe à l'infinitif
Exemple : *Elle doit porter des bottes.*

▸ Appliquez

6 Formez des phrases comme dans l'exemple.

Exemple : *Je / mettre un bonnet → Je dois mettre un bonnet.*

a. Tu / acheter un cadeau pour ton frère.
b. Anaëlle / recevoir sa commande.
c. Nous / utiliser une tablette en classe.
d. Vous / mettre une écharpe en hiver.

Le futur proche

▶ Observez

> **Le futur proche**
> Pour exprimer une action future on utilise :
> – aller + verbe à l'infinitif
> Exemple : *Tu vas mettre des baskets.*

▶ Appliquez

7 Réécrivez les phrases au futur proche.

a. Aziz achète une tablette.
b. J'essaie cette robe, d'accord ?
c. Danny porte une casquette.
d. Ces vêtements sont démodés.

Les adverbes de quantité

▶ Observez

> **Les adverbes de quantité**
> Pour préciser une quantité, on utilise :
> un peu, assez, très, trop + adjectif
> *C'est assez cher.* *C'est très branché.*
> *C'est trop cher.* *C'est un peu ringard.*
> Beaucoup s'utilise après un verbe : *Elle lit beaucoup.*

▶ Appliquez

8 Utilisez les adverbes de quantité pour répondre aux questions.

a. Un smartphone, c'est compliqué à utiliser ?
b. Des chaussettes et des tongs, c'est branché ?
c. Une liseuse, c'est cher ?
d. Un bonnet, c'est confortable en hiver ?

Le verbe « acheter »

▶ Appliquez

9 Complétez les phrases avec le verbe « acheter » (Tableau de conjugaison page 112).

a. Jérôme ... un bracelet et un collier.
b. Nous ... des lunettes de soleil.
c. J'... des tongs pour aller à la plage.
d. Vous ... un pantalon noir et un top blanc ?

L'adverbe interrogatif « combien »

▶ Observez

> **L'adverbe interrogatif « combien »**
> Pour connaitre une quantité, on utilise combien au début de la question.
> *Combien coûte cette chemise ?*
> **Attention :** avec un substantif on utilise combien de / d'
> *Combien d'élèves ont un smartphone dans la classe ?*

▶ Appliquez

10 Trouvez les questions.

a. Cette tablette coûte 150 euros.
b. Ce livre peut contenir 1500 livres électroniques.
c. 3 garçons et 2 filles ont un look hipster.
d. J'ai 4 pulls rouges dans mon armoire.

11 Écrivez trois autres questions avec « combien ». Posez les questions à votre voisin(e).

Le complément du nom

▶ Observez

> **Le complément du nom**
> Le complément du nom donne des précisions sur un mot. Il peut exprimer l'appartenance, la matière ou la provenance.
> En général, on utilise de + un article ou un adjectif possessif.
> **Attention :** on ne dit pas ~~de le~~ ni ~~de les~~ mais du et des :
> *C'est la tablette du directeur.*
> *C'est le look des adolescents.*
> Pour la matière on utilise en :
> *Un pull en laine*

▶ Appliquez

12 Complétez les phrases.

a. C'est une robe rose ... laine.
b. Vous avez la tablette ... directeur du lycée.
c. Ces lunettes sont ... plastique.
d. À qui sont ces chaussures ? Ce sont les chaussures ... ma sœur !
e. La chemise à carreaux ? C'est le vêtement important ... hipsters.

Les sons [ʒ] et [ʃ]

Écoutez et répondez.

Est-ce qu'on prononce ces deux mots de la même manière ?
a. Fiche
b. Fige

Observez.

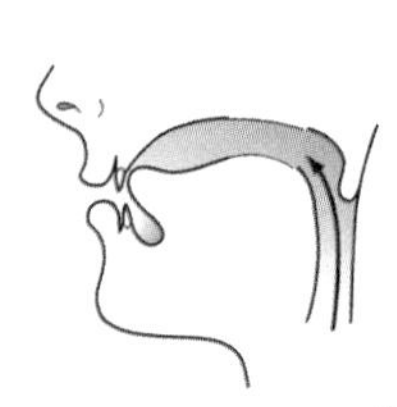

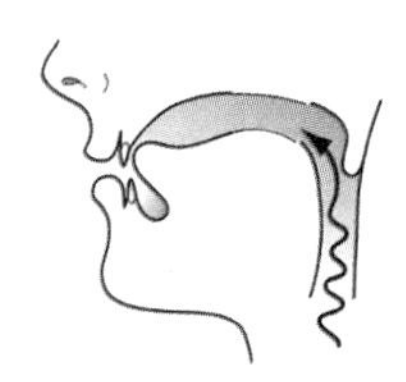

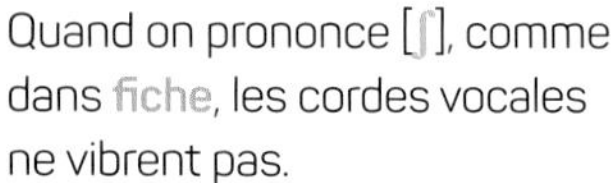

Quand on prononce [ʃ], comme dans fiche, les cordes vocales ne vibrent pas.

Quand on prononce [ʒ], comme dans fige, les cordes vocales vibrent.

Mettez votre main sur votre gorge. Prononcez *fiche* et *fige*. Vous sentez la différence ?

▶ Quelle est la différence entre [ʃ] et [ʒ] ?

Écoutez.

Écoutez les phrases suivantes puis soulignez les mots avec le son [ʒ].
a. Un manteau rouge.
b. Une jupe jaune
c. Un short orange.
d. Un gilet rose.

Écoutez.

Écoutez les mots et levez la main quand vous entendez le son [ʃ].

Écoutez.

Recopiez le tableau. Pour chaque mot, indiquez si vous entendez [ʒ] ou [ʃ].

	[ʒ]	[ʃ]
a.	X	
b.		X
c.	...	...
...	...	...

Écoutez.

Recopiez les phrases. Soulignez en vert les mots avec le son [ʒ] et en bleu les mots avec le son [ʃ].
a. Je veux un pantalon rouge.
b. Tu achètes cette jupe ?
c. Cette chemise est branchée.
d. Vous voulez faire un échange ?
e. Ces chaussures orange sont démodées.

Lisez.

Par deux, lisez les phrases de l'activité précédente.

Complétez.

Complétez la règle.
Je prononce [ʒ] quand je vois **j** ... + voyelle comme dans « jupe » ou **g** ... + **e** ou **i** comme dans « gilet » ou « rouge ».
Je prononce [ʃ] quand je vois ... + voyelle comme dans « ... ».

Lisez.

Lisez ces virelangues.
a. Les chaussettes de Charles sont sèches.
b. Serge a un joli gilet rouge.
c. La chemise est blanche et branchée.
d. Jacques et Charline échangent des jeux.

Écrivez.

Inventez un autre virelangue avec les sons [ʒ] ou [ʃ].

Lisez.

Classez les mots dans le tableau.
jupe – chemise – jaune – orange – chaussures – gilet – écharpe.

[ʒ]	[ʃ]

Utilisons les outils de la langue

Cherchez.

Cherchez l'intrus dans chaque catégorie.

a. Un pantalon – une chemise – une tablette – un bonnet
b. Rouge – une console de jeux – bleu – jaune
c. Un smartphone – à rayures – une liseuse – une console de jeux
d. Les bottes – les tongs – les baskets – à carreaux

Écrivez.

Choisissez un (e) camarade et décrivez ses vêtements.

Associez.

Associez les textes à chaque style.

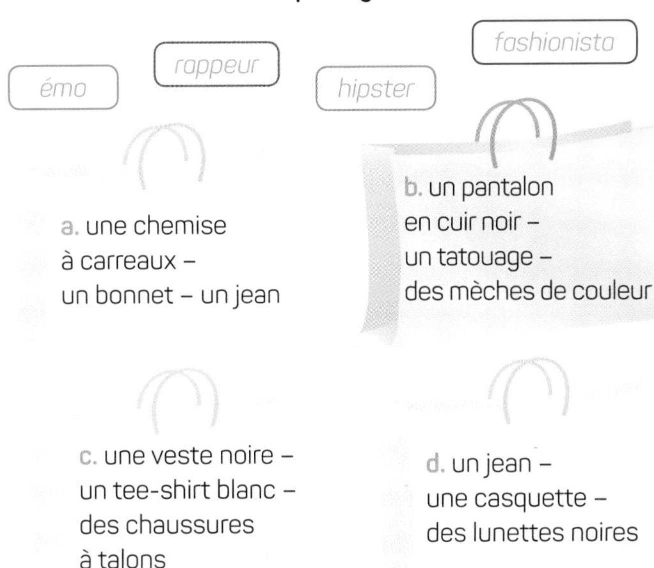

Parlez.

Choisissez une photo et décrivez-la. Utilisez les termes « branché », « ringard », « démodé », « chic ».

Complétez.

Complétez les phrases avec les mots suivants.

liseuse – smartphone – montre connectée – console de jeux

a. Sur ma ... je peux lire des livres électroniques.
b. Il est quelle heure ? Je ne sais pas, je n'ai pas ma ... .
c. Johan appelle ses amis et consulte ses réseaux sociaux avec son ... .
d. Ismaël et Elisa adorent jouer à la ... le soir.

Complétez.

Complétez le texte avec les mots suivants.

magasins – hypermarchés – chaîne – leader

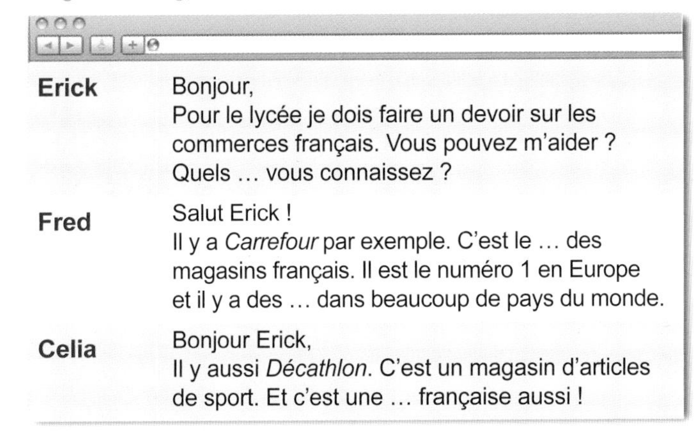

Erick	Bonjour, Pour le lycée je dois faire un devoir sur les commerces français. Vous pouvez m'aider ? Quels … vous connaissez ?
Fred	Salut Erick ! Il y a *Carrefour* par exemple. C'est le … des magasins français. Il est le numéro 1 en Europe et il y a des … dans beaucoup de pays du monde.
Celia	Bonjour Erick, Il y aussi *Décathlon*. C'est un magasin d'articles de sport. Et c'est une … française aussi !

Observez.

Observez les photos et indiquez la matière de ces articles.

Recherchez.

Cherchez des objets et faites deviner la matière.

Exemple : *Une feuille de papier.*

Faisons le point

Vous allez partir en vacances en France et vous faites votre valise.

▶ Choisissez vos vêtements.

▶ Décrivez les vêtements choisis (couleur, matière, etc).

▶ Choisissez un objet électronique et expliquez pourquoi vous choisissez cet objet.

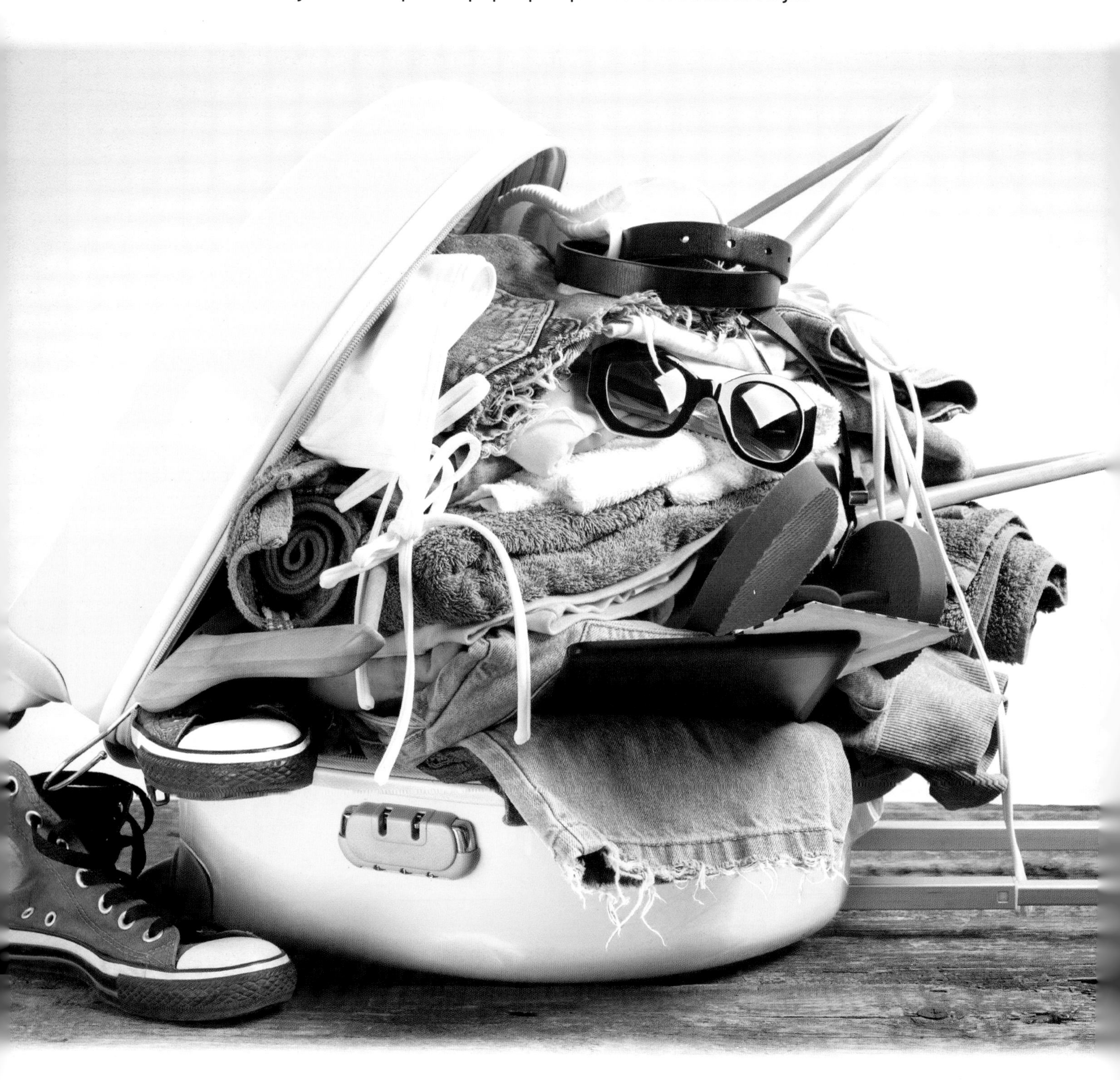

Unité 6

VOUS ÊTES TOUS INVITÉS !

Projet

Préparons la fête de fin d'année

Nous allons fêter la fin de l'année. Nous devons trouver un endroit et organiser la fête. Pour cela, nous allons visiter des endroits et les décrire. Nous allons apprendre à donner et comprendre des instructions pour organiser notre événement et nous retrouver.

Un mur virtuel

Nous allons :

1. Parlons de chez nous

Mario habite en France chez son correspondant Arthur. Avec son portable, Il filme la maison.

C'est trop beau !

1 Regardez la vidéo 11 « La maison d'Arthur ».

a. Relevez les lieux mentionnés par Mario.

la chambre – la salle de bains – la cuisine – le garage – le jardin – le balcon

b. Relevez les phrases exactes. Corrigez si c'est faux.

a. Arthur habite dans un appartement à Montpellier.
b. Dans la chambre d'Arthur, il y a un lit et un bureau.
c. Il y a deux salles de bains chez Arthur.
d. Dans le salon il y a une grande télé.
e. Il n'y a pas de garage, mais il y a un jardin avec une piscine.

Le logement

- Une maison
- La cuisine
- Le salon
- La chambre
- Le couloir
- La salle de bains
- Le jardin

2 Observez.

Associez chaque photo à un endroit de la maison.

1

2

3

4

3 Lisez.

Mario décrit les chambres à sa sœur Julia. Lisez son mail.
Dites où se trouvent les objets soulignés. Utilisez : sur – à côté de – dans.

Salut Julia ! Voici nos chambres. Arthur adore Bigflo et Oli, il a un poster d'eux dans sa chambre. Tu connais ? Moi j'aime bien. Tu peux écouter leur musique sur YouTube. Sur le lit, c'est la guitare d'Arthur, il joue très bien ! Il peut devenir un grand artiste ! À côté du lit, c'est le bureau, avec un ordinateur. Ah ! Et puis il y a aussi une grande armoire.
Mario

4 Dessinez.

À partir de la description de Mario, faites le schéma de sa chambre.

5 Écrivez.

Comme Mario, faites une courte présentation de votre chambre.

> ***Les meubles***
> - Un lit
> - Un bureau
> - Une armoire

Mais où sont tes affaires ?

6 Écoutez. (54)

Julia cherche des objets dans la chambre de son frère. Écoutez le dialogue puis répondez.
a. De quels objets Julia parle dans les messages ?
b. Associez chaque objet à la phrase correspondante.

a. Elle est sur le bureau.
b. Elles sont sous le lit.
c. Elle est sur l'armoire.
d. Il est peut-être sous le lit.

7 Parlez.

Demandez 3 objets à un camarade. Il vous dit où se trouvent ces objets. Utilisez le verbe « pouvoir » et les prépositions de lieu :
Est-ce que je peux prendre...?
Oui, il / elle est...

> **Les prépositions de lieu (1)**
>
> Complétez.
>
> *La guitare est ... le lit.*
> *L'ordinateur est ...*
> *la chambre d'Arthur.*
> *Les balles sont ... le lit.*

> **Le verbe « pouvoir »**
>
> **Pouvoir** est un verbe irrégulier.
> Complétez.
> *Je ... / Tu .... Il / elle ...*
> *Nous pouvons / Vous pouvez*
> *Ils / elles peuvent*
> Observez le radical (le début) de ces formes. Que remarquez-vous ?

Une fête pour Mario

8 Écoutez. (55)

Arthur organise une fête pour le départ de Mario. Écoutez le message. Imaginez le dialogue entre Arthur et Jeanne.

Projet : Étape 1 : Le choix des aliments et des boissons

Vous allez organiser la fête de la classe. Préparez une liste de courses (Quels aliments ? Quelles boissons ?) Décidez avec vos camarades qui apporte quoi. Gardez votre travail pour la suite.

2. Cherchons l'endroit idéal

À la découverte de Toulouse

Observez.

Théo publie des photos de Toulouse, sa ville, sur Instagram. Observez ses photos et lisez les légendes, puis répondez.

a. Quels lieux de Toulouse sont cités ?
b. Quels mots et expressions sont associés à l'été ? À l'hiver ?
c. Expliquez le sens de « c'est vivant » et de « c'est désert ».

Il pleut mais il y a beaucoup de monde dans la rue. C'est très vivant.

Voici Amandine ! C'est l'été, il fait chaud.

C'est moi, à vélo, devant le Capitole. Il fait beau, il y a du soleil. Quelques nuages blancs dans le ciel bleu.

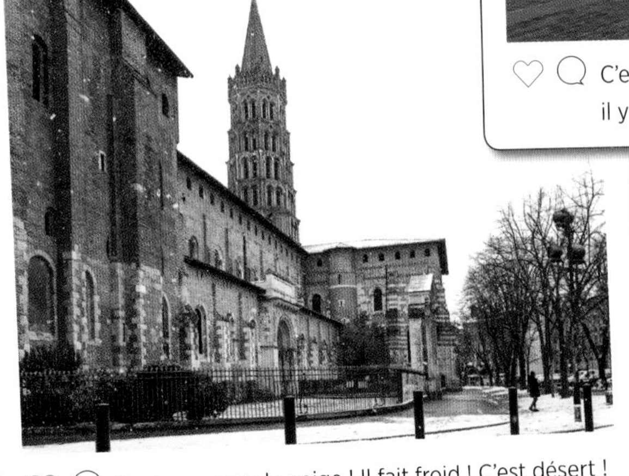

Toulouse sous la neige ! Il fait froid ! C'est désert !

Et voici la Garonne, en hiver. De l'autre côté de la Garonne, on peut voir le Dôme de la Grave. C'est beau !

Caractériser un lieu

- Plein(e)
- Vivant(e)
- Désert(e)
- C'est beau.

Parlez.

Choisissez un lieu de Toulouse et cherchez des informations. Présentez ce lieu à la classe.

Écrivez.

Vous vous promenez dans votre ville. Vous envoyez une photo à votre correspondant, avec un message pour nommer cet endroit, le caractériser, et dire quel temps il fait.

La météo

- Il fait beau. / il fait chaud. ≠ Il fait froid.
- Il y a du soleil. ≠ Il pleut.
- La neige
- Les nuages
- Le soleil brille.

La cité de l'espace

 **Observez.**

Antoine et ses amis passent une journée à la Cité de l'espace de Toulouse.

a. Qui est Thomas Pesquet ? Qu'est-ce qu'il y a à 400 km de la Terre ?
b. Quelles activités vont faire Antoine et ses amis ?

VIVEZ L'EXPÉRIENCE À LA CITÉ DE L'ESPACE

ADMIREZ LES TRÉSORS SPATIAUX

ENTRAÎNEZ-VOUS COMME UN ASTRONAUTE

FAITES LA PLUIE ET LE BEAU TEMPS

PERCEZ LES SECRETS DE L'ESPACE

DÉCOUVREZ DE VRAIS ENGINS SPATIAUX

VOYAGEZ AUX CONFINS DU COSMOS

Découvrez le programme des animations de demain et repérez-vous dans la Cité de l'espace en consultant le plan

VOIR LE PROGRAMME

CONSULTER LE PLAN

Cité de l'espace Toulouse

L'impératif

Embarquez avec Thomas Pesquet.
Quelle est la différence avec le présent ?
Relevez d'autres verbes à l'impératif sur les affiches.

 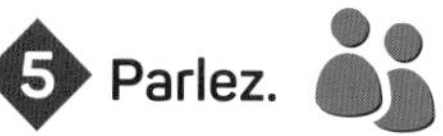 **Parlez.**

La cité de l'Espace propose l'animation suivante. Invitez votre camarade à participer.

TERRADOME (15H30–16H30)

Participez à un quizz géant par équipes, sur le thème de la recherche de vie extraterrestre.
Apprenez à reconnaître des traces de vie extraterrestre.
Soyez attentifs, découvrez les secrets de la vie extraterrestre.

  **Écoutez.** 56

Pour Antoine, la cité de l'espace, c'est un très bon endroit pour organiser un anniversaire. Écoutez : que peuvent faire les amis ? Caractérisez les deux restaurants.

 **Écrivez.**

Nicolas répond à Antoine. Il propose un autre lieu pour fêter son anniversaire et il explique pourquoi : il décrit le lieu et les activités possibles.

Projet – Étape 2 : Le choix d'un lieu 

Où peut avoir lieu la fête ? Au lycée ? Dans un parc ? Dans un restaurant ? Prenez des photos de tous ces lieux. Mettez des légendes aux photos pour décrire et caractériser ces lieux. Avec votre groupe, choisissez un de ces lieux pour faire la fête de fin d'année. Listez les activités possibles.

3. Trouvons notre chemin

Chloé et Raphaël vont à une fête et cherchent leur chemin. Ils suivent les indications de leur smartphone, mais ce n'est pas simple !

C'est par où ?

 **Regardez la vidéo 12 « En route ! »** 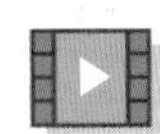

a. Relevez les phrases exactes.

a. Chloé et Raphaël se retrouvent à côté de l'arrêt de bus.
b. Ils traversent un jardin.
c. Ils arrivent devant une fontaine.
d. La fête a lieu dans un restaurant.

b. Décrivez les photos.

> **Les prépositions de lieu (2)**
> • à côté de
> • devant / derrière

Le géocaching, la nouvelle chasse au trésor

Vous avez un smartphone ? Un gps ? L'appli de géocaching ? Alors, vous êtes prêts à trouver le « trésor ». Le trésor, ce sont les « caches », de petites boîtes cachées par les joueurs.

  **Écoutez.** 57

Émilien et Dana partent à la recherche d'une cache. Écoutez, observez les indices, et répondez.

a. Où se trouve la cache ?
b. Relevez les lieux mentionnés par Émilien et Dana.

le jardin – le musée – la galerie – le pavillon – l'entrée – la fontaine – le zoo

Je ne me sens pas bien

3 Lisez.

Théo envoie un message à Mathilde. Lisez les messages et répondez aux questions.

a. Où est Mathilde ? Où elle a rendez-vous ?
b. Mathilde ne se sent pas bien. Elle a mal où ?

Théo : Tu es où ?

Mathilde : Je suis chez moi, je ne me sens pas bien. J'ai mal à la gorge et aux oreilles.

Théo : Tu ne viens pas alors ?

Mathilde : Je ne sais pas, j'ai rendez-vous chez le médecin.

Chez

Observez.

Je suis chez moi.
Je vais chez le médecin.

4 Observez.

Complétez les phrases.

a. Des lunettes de soleil protègent les … .
b. Vous mettez une écharpe autour de votre … .
c. Un bonnet protège … et … .
d. Quand on mange trop de bonbons on a mal au …. .

5 Écoutez.

Mathilde explique au médecin où elle a mal. Écoutez et relevez les affirmations exactes. Corrigez si c'est faux.

a. Mathilde a mal à la tête et au cou.
b. Le médecin observe les oreilles et les genoux.
c. Mathilde va prendre un manteau chaud pour aller à la fête.
d. Mathilde se sent bien.
e. Elle va rentrer chez elle pour dormir.

Avoir mal à la / au / aux

Observez.

J'ai mal à la tête.
J'ai mal aux oreilles.
J'ai mal au pied.

Qu'est-ce que vous remarquez ?

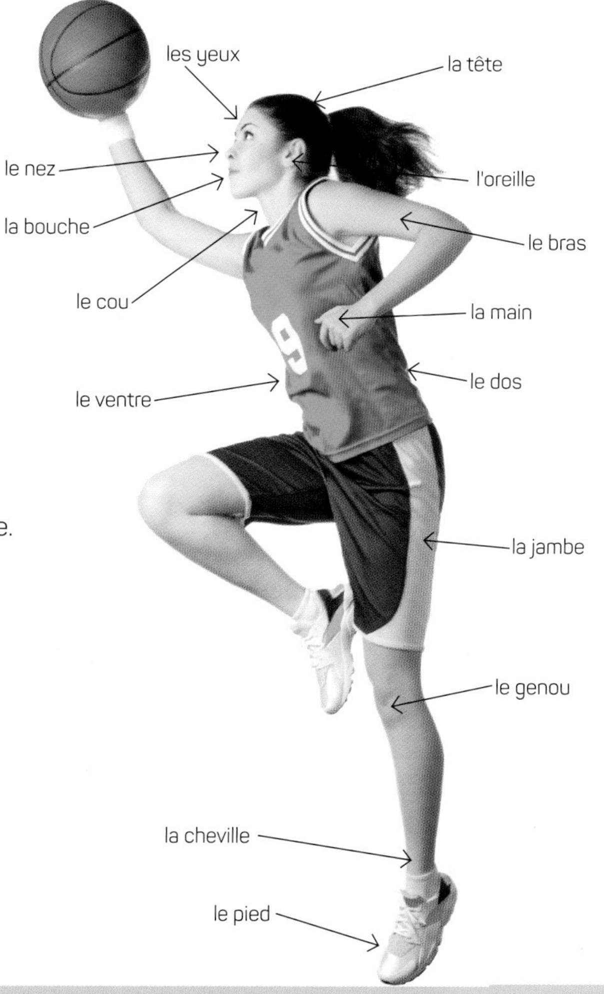

Projet – Étape 2 : Le lieu et le trajet de notre fête

Vous avez le lieu de votre fête, vous le caractérisez et le situez par rapport à d'autres lieux du quartier. Vous expliquez également comment vos camarades doivent se rendre à cette fête depuis plusieurs endroits de la ville et selon les moyens de transport utilisés.

4. Organisons-nous

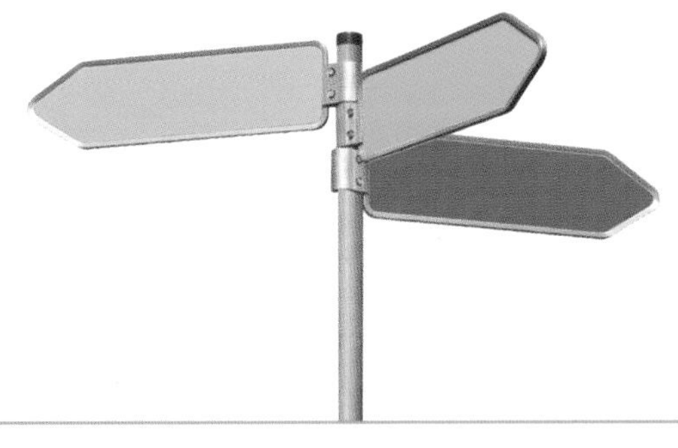

Que voulez-vous faire ?

1 Lisez.

Vous êtes invité ! Répondez aux questions d'Ethan.

Salut, je voudrais organiser une sortie.
Préférez-vous un parc ? Un restaurant ?
Êtes-vous d'accord pour prendre le métro ou préférez-vous rester dans le quartier et venir à pied ?
Voulez-vous danser ? Faire du sport ?
Connaissez-vous Aimelia Lias ? (Elle passe au Palais des Sports). Sinon, quel groupe de musique aimez-vous ?
Merci ! Ethan

L'interrogation avec inversion du sujet

Observez.
Préférez-vous un parc ?
Comparez avec : *Vous préférez un parc ?*
Relevez d'autres questions dans l'invitation d'Ethan.

2 Écoutez.  59

Jules laisse un message à Ethan. Écoutez et répondez aux questions.

a. Que vient de faire Jules ?
b. Où Jules a mal et où il va aller ? Pourquoi ?
c. Qu'est-ce que Jules apporte à la fête d'Ethan ?

3 Écoutez.  60

Louise est en retard. Ethan lui laisse un message. Écoutez le message et relevez les phrases exactes. Corrigez si c'est faux.

a. Les copains de Louise viennent d'arriver au parc.
b. Ils vont arriver au parc.
c. Ils sont à l'entrée du parc.
d. Ethan est à côté de la fontaine.

Voici la fin de l'année !

 **Racontez.** 

Vous publiez les photos de la fête de fin d'année. Racontez cette fête à votre famille. Aidez-vous des photos.

La fête de fin d'année vient de se terminer !

Nos deux danseurs pros viennent de remporter le concours de break danse !

Super ambiance ! À l'année prochaine les copains !

Et pour animer la soirée, Julien notre super DJ !

Des chips, du poulet, des salades, un super buffet, trop bon !

PROJET

Préparons la fête de fin d'année

Vous écrivez une invitation pour la fête.

- Commencez par reprendre votre travail des différentes étapes. Vous avez la liste des aliments et boissons pour la fête, vous avez le lieu de la fête, vous savez situer ce lieu.
- Vous décrivez dans cette invitation les activités pendant la fête.
- Vous choisissez le support de votre invitation. Il peut s'agir d'une invitation en format papier mais aussi d'un mail ou de la création d'un événement sur un réseau social...
  Vous pouvez aussi décider d'envoyer un message vidéo pour une invitation originale.
  Vous publiez le résultat de votre projet sur le mur virtuel de la classe.

Grammaire

Les prépositions de lieu

▶ Observez

Les prépositions de lieu

On utilise sur – dans – à côté de – devant – sous ou derrière pour se situer ou situer des objets dans l'espace.

Lisez et répondez.

Dialogue a

Je ne trouve pas mon écharpe et mon bonnet !

Ton bonnet est dans l'armoire Arthur, et ton écharpe est sur le canapé, à côté des pulls de ton frère.

Dialogue b

Paul, vous êtes où ? Je ne vous vois pas.

Tu es dans le parc ? Nous sommes derrière la fontaine, sous un grand arbre.

a. Où est le bonnet d'Arthur ? Et son écharpe ?
b. Où sont les copains de Paul ?

▶ Appliquez

Complétez avec : *sous – sur – dans – à côté de – devant – derrière*

a. Ces enfants passent leur temps ... la télé !
b. Le chien n'a pas le droit de monter ... le canapé !
c. Pour la fête surprise de Zoé, nous allons nous cacher ... la fusée à la cité de l'Espace.
d. Ta tablette est ... ma chambre, ... mon bureau.
e. Je ne sais pas où est le chat ! Regarde ... ton lit !

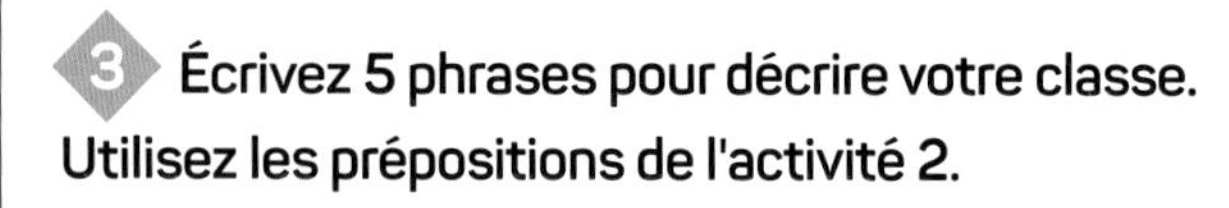

Écrivez 5 phrases pour décrire votre classe. Utilisez les prépositions de l'activité 2.

Exemple : *Le professeur est devant le tableau.*

Le verbe « pouvoir »

▶ Observez

Le verbe « pouvoir » (voir tableau de conjugaison page 115)

Le verbe « pouvoir » est un verbe irrégulier.
- Les formes de **je, tu, il / elle, ils / elles** se construisent à partir du radical peu-
- Les formes de **nous** et **vous** se construisent à partir du radical pouv-

▶ Appliquez

Conjuguez le verbe « pouvoir » dans les phrases.

a. Tu ... venir à ma fête d'anniversaire ?
b. Nous ... apporter des jus de fruits.
c. Ils ne ... pas venir, ils sont au mariage de leur cousine.
d. Je ... inviter 15 personnes.
e. Elle ... nous retrouver après son rendez-vous chez le médecin.
f. Vous ... acheter un cadeau pour Mia ?

L'impératif présent

▶ Observez

L'impératif présent

- L'impératif présent est le seul temps grammatical qui n'utilise pas de pronom sujet.
- On l'utilise pour donner une instruction, un conseil ou un ordre.
- Il s'utilise seulement avec les personnes **tu**, **nous** et **vous**.

Pour les verbes en -er, on ne met pas de « s » à la deuxième personne du singulier.

Indicatif présent		Impératif présent
– Tu téléphones à ta mère.	→	– Téléphone à ta mère !
– Nous allons chez le médecin.	→	– Allons chez le médecin !
– Vous préparez vos affaires.	→	– Préparez vos affaires !

▶ Appliquez

Mettez les verbes à l'impératif.

a. ... (*inviter*) tous vos amis à la fête de Maxime.
b. ... (*apporter*) des boissons et des pizzas, s'il te plaît.
c. ... (*aller*) chez le médecin si tu es malade.
d. ... (*téléphoner*) à Mathilde si tu veux la voir.

Chez

▸ Observez

Chez + pronom personnel ou nom de métier

- Le mot chez est utilisé pour indiquer un lieu.
- Il peut être suivi d'un pronom personnel tonique : moi, toi, lui, elle, nous, vous, eux, elles mais aussi d'une profession, d'un prénom...

Après le lycée, je rentre chez moi.
Vous allez chez Romain ou chez le médecin ?

 **Lisez et répondez.**

Dialogue a

Léo, tu as rendez-vous chez le médecin ce soir à 18h15. N'oublie pas !

Dialogue b

Noémie, je ne viens pas chez toi ce soir, j'ai mal aux dents, je sors de chez le dentiste, je rentre chez moi.

a. Où a rendez-vous Léo ce soir à 18h15 ?
b. D'où sort la copine de Noémie ? Elle va où ?

▸ Appliquez

 **Complétez les phrases suivantes.**

a. Tu as mal aux dents ? Va chez ... .
b. Simon et Maria rentrent chez ... après le concert.
c. Qu'est-ce que tu fais ? Tu viens ou tu rentres chez ... ?
d. Si tu es malade, va chez ... .
e. C'est l'anniversaire de mon grand-père, je vais chez ... ce week end.

L'interrogation avec inversion du sujet

▸ Observez

L'interrogation avec inversion du sujet

Il y a plusieurs manières de poser une question.

- **Sujet + verbe + complément** *(il faut faire attention à l'intonation !)*
  Tu peux venir à la fête avec ton correspondant ?
  Vous êtes d'accord pour aider à organiser la fête ?
- **Verbe + sujet + complément** *(il ne faut pas oublier le tiret entre le verbe et le sujet !)*
  Es-tu libre le samedi 19 juin ?
  Que préférez-vous apporter à la fête ?

▸ Appliquez

 **Posez les questions en inversant le sujet.**

a. Nous apportons des quiches à la fête ?
b. Tu viens chez Tom ?
c. Est-ce que vous préférez faire la fête le midi ou le soir ?
d. Est-ce que tu vas chez le médecin ?
e. Est-ce que vous organisez la fête dans ton jardin ?
f. Nous achetons un cadeau pour l'anniversaire de Tom ?

Avoir mal à la, au, aux...

▸ Observez

Avoir mal à la, au, aux...

L'expression avoir mal est suivie d'une partie du corps.

- Avant un **nom masculin singulier**, l'expression est avoir mal au...
  J'ai mal au dos / J'ai mal au pied.
- Avant un **nom féminin singulier**, l'expression est avoir mal à la...
  Il a mal à la gorge / ils ont mal à la tête.
- Avant un **nom masculin / féminin pluriel**, l'expression est avoir mal aux...
  Elle a mal aux oreilles / Vous avez mal aux jambes ?

 **Lisez et répondez.**

– Ça ne va pas ? Qu'est-ce que tu as ?
– J'ai mal à la tête.
– Et toi ?
– Pff, moi j'ai mal aux oreilles.
– Moi j'ai mal à la gorge et papa a mal au dos ! Je prends un rendez-vous chez le médecin pour toute la famille.

a. Les enfants ont mal où ?
b. Où a mal la mère de famille ? Et le père ?

▸ Appliquez

 **Complétez par une ou plusieurs parties du corps.**

a. C'est l'hiver, il fait froid, Lucas a mal ... .
b. Je viens de tomber de vélo, j'ai mal ... .
c. 15 kms de randonnée en montagne, nous avons mal ... .
d. Quand il y a beaucoup de soleil, j'ai mal ... .
e. La musique est vraiment forte, baisse le son, nous avons mal ... .

Phonétique

Les voyelles nasales [ɑ̃] et [ɛ̃]

Observez.

Le son [ɑ̃] : les lèvres sont légèrement arrondies, la bouche est bien ouverte.

Le son [ɛ̃] : les lèvres sont tirées, la bouche est presque fermée.

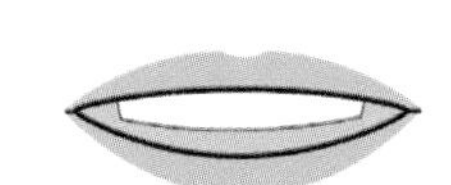

La graphie du son [ɑ̃]
Le son [ɑ̃] peut s'écrire AN / AM / EN ou EM.
Exemples : *une chambre – devant – les dents – la jambe*

La graphie du son [ɛ̃]
Le son [ɛ̃] peut s'écrire IN / IM / UN / UM / AIN / AIM / EIN / EIM mais aussi EN ou EM après un I.
Exemples : *Les mains – demain – salle de bains – un chien – bien – italien*

▶ **Attention :** Au présent de l'indicatif, la terminaison des verbes de la 3e personne du pluriel est **-ent**. Cette terminaison **-ent** dans un verbe ne se prononce **jamais**.
Ils viennent en train.
Ils arrivent toujours en retard.
Elles ne peuvent pas venir.

Écoutez.

Écoutez les mots, est-ce que vous entendez le son [ɑ̃] ?

	J'ENTENDS LE SON [ɑ̃]	JE N'ENTENDS PAS LE SON [ɑ̃]
a		
b		
...		

Lisez.

Recopiez les phrases dans votre cahier. Soulignez le son [ɑ̃].
a. Il prend le bus pour aller au parc.
b. Ton pantalon est dans ta chambre.
c. Je vais chez le dentiste demain.

Parlez.

Avec un camarade, chacun votre tour, prononcez les phrases de l'activité 3. Vérifiez que vous avez bien souligné le son [ɑ̃].

Écoutez.

Écoutez les mots, est-ce que vous entendez le son [ɛ̃] ?

	J'ENTENDS LE SON [ɛ̃].	JE N'ENTENDS PAS LE SON [ɛ̃].
a		
b		
...		

Lisez.

Recopiez les phrases dans votre cahier. Soulignez le son [ɛ̃].
a. Elle vient ou pas ta cousine ?
b. Ils prennent le métro à Saint Germain. Ils arrivent dans vingt minutes.
c. Elles ne peuvent pas venir, elles ont un examen d'italien.

Parlez.

Avec un camarade, chacun votre tour, prononcez les phrases de l'activité 6. Vérifiez que vous avez bien souligné le son [ɛ̃].

Écoutez.

Écoutez ces phrases et dites quel son vous entendez.

	J'ENTENDS LE SON [ɑ̃]	J'ENTENDS LE SON [ɛ̃]
a		
b		
...		

Écrivez.

Par deux, faites une liste de mots qui possèdent les sons [ɑ̃] et [ɛ̃].

Parlez.

Lisez les mots de votre liste à toute la classe. Vos camarades disent s'ils entendent le son [ɑ̃] ou le son [ɛ̃].

Utilisons les outils de la langue

1 Dessinez.

Faites le plan de votre maison. Nommez les pièces.

2 Parlez.

Faites une phrase pour décrire la météo sur chaque photo.

3 Écrivez.

Complétez le message d'Alexis à ses parents avec les mots suivants.

guitare – jardin – piscine – bureau – chambre – lit

Salut maman, regarde la ... de mon correspondant, elle est géniale. Il a un grand ..., un petit ... et une super vue sur le ... et la ... .
Il joue de la ... dans un groupe avec des copains de sa classe.

4 Associez.

Associez les mots suivants aux descriptions :

désert – vivant – plein – beau

a. C'est un lieu magnifique. C'est ... .
b. Il n'y a personne dans ce lieu. C'est ... .
c. Vous ne pouvez pas manger dans ce restaurant parce que toutes les tables sont occupées. C'est ... .
d. C'est un lieu animé. Les personnes font beaucoup de choses. C'est ... .

5 Écrivez. 

Quelles parties du corps connaissez-vous ? Faites une liste en 1 minute avec un camarade.

6 Écrivez.

Complétez les phrases par des parties du corps.

pied – oreilles – gorge – tête.

a. L'hiver, je suis malade parce qu'il fait froid. J'ai mal à la ... et à la ... .
b. J'adore les concerts de rock mais après j'ai mal aux ... .
c. Quand je marche trop, j'ai mal au ... droit.

7 Observez.

Où sont ces touristes ? Choisissez la bonne réponse.

Les touristes sont **à côté de / devant / derrière** la Tour Eiffel.

8 Recherchez.

Choisissez 3 photos de personnes ou d'objets dans des lieux. Faites des phrases pour situer ces personnes ou ces objets avec les mots suivants :

devant – à côté – derrière – sous – dans – sur

Unité 6 Faisons le point

Vous faites votre stage de fin d'année dans une entreprise de votre ville.
▶ Décrivez et caractérisez le quartier. Où mangez-vous ?
▶ Décrivez les bureaux. Quel travail faites-vous ? Parlez de vos collègues.

Annexes

Entraînements au DELF A1

Entraînement 1

Compréhension orale

 **Écoutez 2 fois l'enregistrement et répondez.** 

a. Quelle est la nationalité de Marie ?

b. Quel âge a Marie ?
1. 15 ans **2.** 16 ans **3.** 17 ans

c. Où habite Antoine ?

d. Quel âge a Antoine ?
1. 15 ans **2.** 16 ans **3.** 17 ans

e. Qui est Marius ?

f. Comment est Marius ?
1. Il est blond et il a les yeux bleus.
2. Il est brun et il a les yeux marron.
3. Il est blond et il a les yeux marron.

g. Comment est la mère d'Antoine ?
1. Elle est blonde et elle a les yeux marron.
2. Elle est brune et elle a les yeux bleus.
3. Elle est blonde et elle a les yeux bleus.

h. De quelle couleur sont les yeux du père d'Antoine ?
1. bleus
2. marron
3. verts

 **Écoutez 2 fois l'enregistrement et répondez.** 

a. Quel âge a Chloé ?
1. 15 ans **2.** 16 ans **3.** 17 ans

b. Qui est Jacques ?
1. le grand-père de Chloé
2. le père de Chloé
3. le cousin de Chloé

c. Quel âge a Jacques ?

d. Quelle est sa profession ?

e. Qui est Fanny ?
1. la mère de Jacques
2. la sœur de Jacques
3. la mère de Chloé

f. Quel âge a Fanny ?

g. Quelle est sa profession ?

h. Qui sont Paul et Florian ?

i. Ils ont quel âge ?

j. Comment ils sont ?
1. Ils sont bruns, petits, et ils ont les yeux verts.
2. Ils sont blonds, petits et ils ont les yeux bleus.
3. Ils sont bruns, grands et ils ont les yeux verts.

k. Quelle est la nationalité de Chloé ?
1. française **2.** mexicaine **3.** américaine

l. Quelles langues parle Chloé ?
1. français, chinois et espagnol
2. français, anglais et espagnol.
3. français, chinois et espagnol.

Compréhension écrite

Lisez le document et répondez.

Formulaire d'inscription à la bibliothèque de la ville*

Nom : GERARD
Prénom : Amandine
Adresse : 25 Rue des peupliers, 34000 Montpellier
Date de naissance : 20/03/2003
Lieu de naissance : Perpignan
Adresse mail : Amandine.gérard03@gmail.com
Numéro de téléphone : 06-21-35-46-20
Nationalité : Française

* Pour s'inscrire à la bibliothèque, joindre une photocopie d'une pièce d'identité et payer 20 euros d'inscription à l'année pour toute la famille.

a. Relevez les phrases exactes.
   1. Amandine est canadienne.
   2. Amandine habite à Perpignan.
   3. L'inscription à la bibliothèque est pour toute la famille.
   4. L'inscription à la bibliothèque est gratuite.

b. Quel papier est nécessaire pour l'inscription à la bibliothèque ?

Lisez les messages et associez.

Moi, j'adore Maitre Gims, c'est un chanteur congolais, il habite en France et son style de musique, c'est le rap. Il porte des lunettes de soleil, il est grand et brun.

Camélia Jordana c'est une chanteuse et une actrice française. Elle chante super bien, elle est jolie, brune, elle a les cheveux longs et les yeux noirs.

Vianney, c'est mon chanteur préféré. Il est français. Il est grand, il a les yeux marron. Il est beau et il chante en duo avec Maître Gims. Sa mère est professeure d'économie. Il a deux frères. Il est aussi acteur.

a. Sa mère est professeure d'économie.
b. Elle est jolie, brune, et elle a les yeux noirs.
c. Il est congolais et il habite en France.
d. Il a 2 frères.
e. Il n'est pas acteur.

Vianney
Maître Gims
Camélia Jordana

Production orale

Posez des questions à l'aide des mots suivants.
Nationalité – Profession – Frère – Yeux – Pièce d'identité

▸ Exercice d'interaction

Vous arrivez en France dans une famille. Votre correspondant vous présente son cousin. Vous posez des questions au cousin de votre correspondant pour le connaître. Jouez la scène. Votre professeur ou un camarade de classe joue le cousin de votre correspondant.

Production écrite

Vous faites un séjour linguistique dans une famille francophone. Vous présentez tous les membres de la famille, vous donnez les professions des parents, et vous décrivez les membres de la famille. (minimum 80 mots).

Entraînements au DELF A1

Entraînement 2

Compréhension orale

 **Écoutez 2 fois l'enregistrement et répondez.** 

a. Max est en quelle classe au lycée ?

b. Quelles sont les activités de Max aux heures suivantes ?

1. À 7 heures :	**2.** À 9 heures :	**3.** À 18heures :
a. Il se réveille.	**a.** Il va au lycée.	**a.** Il va au parc.
b. Il se lève.	**b.** Il commence les cours.	**b.** Il va à la piscine.

c. À quelle heure Max se lève le week-end ?

d. Qu'est-ce que Max fait le samedi à 12h ?

e. Quels sports pratique la sœur de Max ?

f. Associez les sports suivants aux parents de Max :

	• Le tennis
La mère de Max •	• L'escalade
Le père de Max •	• La natation
	• Le judo

 **Écoutez 2 fois l'enregistrement et répondez.** 

a. Que boit Émilie au petit-déjeuner ?
1. du café **2.** du lait **3.** du jus d'orange

b. Qu'est-ce qu'Émilie met sur ses tartines au petit-déjeuner ?

1 

2 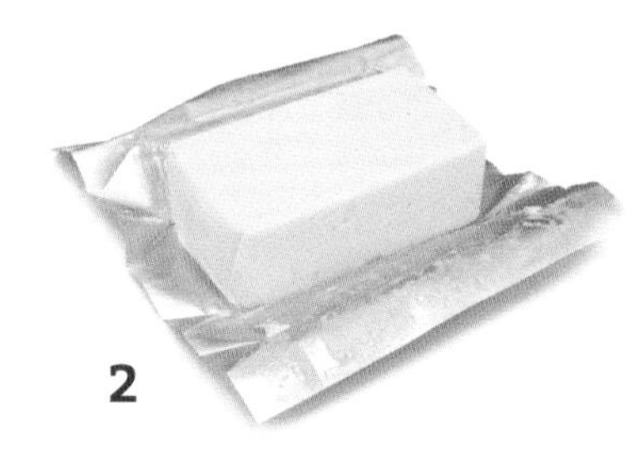

3 

c. Qu'est-ce qu'Émilie aime manger le dimanche ?
1. des pancakes **2.** des fruits **3.** des œufs brouillés
4. du bacon **5.** des tartines **6.** des croissants

d. Qu'est-ce que le copain d'Émilie mange au petit-déjeuner ?
1. des céréales avec du lait **2.** des pancakes **3.** des fruits

e. Qu'est-ce qu'il met sur ses tartines ?
1. du beurre **2.** de la confiture **3.** du beurre et de la confiture

f. Qu'est-ce que le copain d'Émilie boit au petit-déjeuner ?
1. du jus d'orange **2.** du café **3.** du thé

g. Quel plat le copain d'Émilie adore manger ?

h. Qui prépare ce plat en général ?

i. Citez 2 ingrédients de ce plat.

Compréhension écrite

Lisez le document et répondez.

a. À quelle heure commencent les cours de français ?
b. Où déjeunent les adolescents lundi ?
c. Qu'est-ce que les élèves font lundi après-midi ?
d. Où les élèves ont rendez-vous lundi à 18h ?
e. À quelle heure finit la pièce de théâtre ?
f. Qu'est-ce que les élèves font mardi matin à 10h ?
g. Qu'est-ce que les élèves apportent mardi au Futuroscope ?

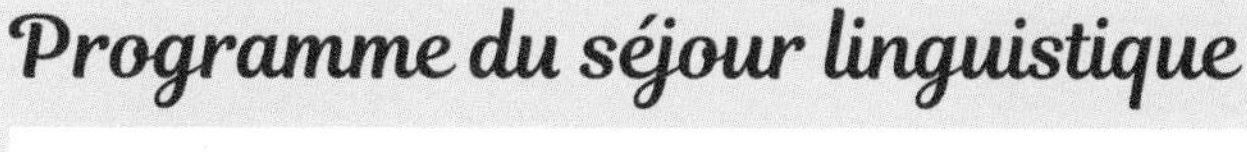

Lundi 13 mars

- Aujourd'hui, vous avez cours de français de 9h à 12h.
- À 12h, vous partez déjeuner dans un restaurant du centre-ville avec votre classe.
- L'après-midi, vous découvrez la ville, le parc, le musée d'art contemporain et à 18h, vous retrouvez toute la classe pour aller voir une pièce de théâtre. Le rendez-vous est à 18h devant le théâtre. Vos professeurs ont l'adresse exacte.
- Après le théâtre, à la fin de la représentation à 19h30, vous rentrez dans vos familles d'accueil. Il y a un arrêt de bus à 200 mètres du théâtre, lignes 55, 11 et 73.

Mardi 14 mars

- Vous avez cours de français de 9h à 11h30.
- À 11h45, rendez-vous devant l'école pour partir au Futuroscope. Vous apportez votre déjeuner pour pique-niquer au Futuroscope. Prévoir des bagels, des sandwiches, des chips, des quiches, des fruits et des boissons…
- Vous assistez à une projection à la fin de la visite du parc, à 18h.
- Retour à l'école à 20h30.

1 

2 

3 

Lisez le document et répondez.

a. Qu'est-ce que l'agence Francophonie-Immersion propose ?
b. Quel est l'âge minimum pour participer aux activités de Francophonie-Immersion ?
c. Qu'est-ce que les adolescents font le matin ?
 1. des activités de plein air.
 2. Ils apprennent le français.
 3. des activités de montagne, du ski, du snowboard.
d. Arthur a 17 ans, il est allemand, il fait du ski, est-ce qu'il peut participer à un séjour en Suisse au mois de novembre ? Pourquoi ?
e. Laïa est espagnole, elle a 14 ans, est-ce qu'elle peut partir à La Réunion faire de la plongée et apprendre le français avec Francophonie-Immersion ? Pourquoi ?
f. Est-ce que les petits-déjeuners, les déjeuners et les dîners sont compris dans les tarifs ?

L'agence Francophonie-Immersion propose des séjours linguistiques pour les adolescents âgés de 15 ans et plus.

► Pendant ces séjours, vos enfants apprennent le français le matin et font des activités sportives l'après-midi.

► À partir du mois de décembre en Suisse, cours de français le matin, sports d'hiver (ski, snowboard…) l'après-midi et le week-end.

► Au printemps, sports en plein air, les jeunes font de la randonnée, du tennis, de la natation, c'est au choix.

► Les repas et le logement sont inclus dans nos prix.

► Nous proposons aussi des séjours à La Réunion, pour les passionnés de sports aquatiques : surf, plongée… Renseignements sur demande à

Immersion@Francophonie.org

Production orale

Posez des questions à l'aide des mots suivants.

Croissant – Tennis – Piscine – Se réveiller – Heure

► Exercice en interaction

Vous parlez de votre correspondant à l'un de vos parents. Vous racontez ses habitudes, vous parlez de ses activités. Votre père ou votre mère vous pose des questions. Jouez la scène. Votre professeur ou un camarade de classe joue le rôle de votre père ou de votre mère.

Production écrite

Vous passez une semaine en séjour linguistique. Vous écrivez à vos parents pour raconter votre programme de la semaine, vos loisirs, vos activités… (minimum 80 mots).

Entraînement 3

Compréhension orale

Écoutez 2 fois l'enregistrement et répondez. 

a. Où part Eric la semaine prochaine ? Qu'est-ce qu'il va faire ?

b. Eric rentre quand de son voyage ?
  1. samedi
  2. dimanche
  3. lundi

c. Qu'est-ce qu' Eric va acheter pour partir en voyage ?

d. Qu'est-ce que Jules fête ce soir ?

e. Qu'est-ce que Manon a comme cadeau pour Jules ?

1

2

3

f. Qu'est-ce qu'Eric et ses copains de classe offrent à Jules ?

g. Qu'est-ce que Manon et Louise apportent à manger à la fête de Jules ?
  1. des sandwiches et des bagels
  2. des chips et des salades
  3. un gâteau au chocolat et une tarte aux pommes

Vous allez entendre 2 fois plusieurs messages.
Associez chaque message à une situation. 69

Message 1 •	• donner un lieu de rendez-vous
Message 2 •	• inviter une personne à une fête
Message 3 •	• refuser une invitation
Message 4 •	• demander un service à quelqu'un

Compréhension écrite

3 Lisez le document et répondez.

Salut les amis, j'organise mon anniversaire samedi prochain dans le Parc de la Tête d'Or à partir de midi.
Nous allons pique-niquer dans le parc, je fais des salades, des quiches, j'apporte des chips, des boissons, des gâteaux…
À 15h, nous allons faire du parkour. Si vous ne pouvez pas venir au parc à midi, c'est possible de se retrouver à côté du cinéma directement à 14h45.
Confirmez-moi votre présence avant mercredi 20h pour réserver les skate boards.
À samedi.
Théo

a. À qui Théo envoie ce mail ?
1. à sa famille **2.** à ses amis **3.** à ses amis et à sa famille
b. Pourquoi est-ce que Théo organise une fête ?
c. Qu'est-ce que Théo va apporter pour le déjeuner ?
d. Où est le rendez-vous pour le parkour ?
e. Que doivent faire les copains de Théo avant mercredi 20h ?

4 Lisez le document et répondez.

Emma : Qu'est-ce que tu fais cet après-midi ? Tu veux venir au centre commercial avec moi ?

Jeanne : Oh oui, super idée ! Je dois acheter des vêtements et des chaussures.

Emma : Moi aussi, je veux trouver une robe sympa pour l'anniversaire de mariage de mes grands-parents la semaine prochaine.

Jeanne : Moi, je veux une jupe noire, un top et un petit pull sympa.

Emma : On se retrouve à quelle heure ? Et où ?

Jeanne : On peut se retrouver à 14h devant le métro.

Emma : D'accord, à tout à l'heure.

a. Qu'est-ce qu'Emma veut acheter ?
b. Quels vêtements Jeanne veut acheter ?

1

2

3

c. Où vont se retrouver Emma et Jeanne ?
1. à côté du métro
2. derrière le métro
3. devant le métro
d. À quelle heure vont se retrouver Emma et Jeanne ?

Précis de grammaire

Les articles devant les pays

La France (pays qui terminent par **-e**)
L'Angleterre (pays qui commencent par une **voyelle**)
Les Maldives (pays qui terminent par **-s**)
Le Portugal (les autres pays)

! On dit le Mexique, le Cambodge, le Zimbabwe et le Mozambique

Les prépositions avec les pays et les villes

• Pour indiquer sa ville de résidence : *J'habite* + à + ville → *J'habite à Strasbourg.*

• Pour indiquer son pays de résidence, on utilise : *J'habite +*
– en avec les pays qui terminent par **-e** → *J'habite en France, en Pologne...*
– aux avec les pays qui terminent par **-s** → *J'habite aux Philippines, aux États-Unis....*
– au pour les autres cas → *J'habite au Maroc, au Chili...*

! On dit au Mexique, au Cambodge, au Zimbabwe et au Mozambique.

• Pour indiquer son pays d'origine, on utilise : *Je viens +*
– de avec les pays qui terminent par **-e** → *Je viens de Belgique.*
– d'avec les pays qui commencent par une **voyelle** → *Je viens d'Italie.*
– des avec les pays qui terminent par **-s** → *Je viens des États-Unis.*
– du pour les autres cas → *Je viens du Liban.*

L'adjectif interrogatif « quel »

Quel a des formes différentes au féminin et au pluriel.

	Masculin	Féminin
Singulier	*quel*	*quelle*
Pluriel	*quels*	*quelles*

Quel est votre nom ?
Quelle est ta nationalité ?
Quelles sont vos matières scolaires préférées ?

La phrase négative

Ne + verbe + pas
Je parle français mais je ne parle pas chinois.

! Ne devient n' devant un verbe qui commence par **une voyelle** ou un « **h** ».
Je n'habite pas en France, j'habite au Mali.
Je n'aime pas le poisson.

Les adjectifs possessifs

L'utilisation de l'adjectif possessif dépend de la personne qui possède, mais aussi du genre et du nombre de ce qui est possédé.

Personne qui possède	Masculin Singulier	Féminin singulier	Masculin / féminin pluriel
Je	Mon	Ma	Mes
Tu	Ton	Ta	Tes
Il / Elle	Son	Sa	Ses
Nous	Notre		Nos
Vous	Votre		Vos
Ils / Elles	Leur		Leurs

Si la personne qui possède est « **il** » (3e personne du singulier) et l'objet possédé est **une voiture** (féminin singulier) on dit : *sa voiture*.
Si la personne qui possède est « **nous** » (1re personne du pluriel) et ce qui est possédé est **des enfants** (masculin pluriel) on dit : *nos enfants*.

Les pronoms toniques

Les pronoms toniques servent à insister sur la personne.
On utilise aussi les pronoms toniques après des prépositions.
(*avec moi*, *avec elle*, *pour lui*, *pour nous*, ...)

Je → moi
Tu → toi
Il → Lui
Elle → Elle
Nous → nous
Vous → Vous
Ils → Eux
Elles → Elles

Être + article zéro / profession

Devant une profession, on ne met pas d'article.
Elle est infirmière. – Il est journaliste.

Le féminin des professions

• En général pour former le féminin d'une profession, on ajoute un « e ».
Il est professeur. / Elle est professeure.
Il est commercial. / Elle est commerciale.

• Pour les noms de professions en « -ien », on forme le féminin en « -ienne ».
Il est comédien. / Elle est comédienne.

• Pour les noms de professions en « -teur », on forme le féminin en « -trice ».
Il est acteur. / Elle est actrice.

• Pour les noms de professions en « -eur », on forme le féminin en « -euse ».
Il est vendeur. / Elle est vendeuse.

• Pour les noms qui se terminent par « -e » au masculin, le féminin reste identique.
Il / Elle est journaliste.
Il / Elle est secrétaire.

! Il existe des exceptions :
Il est chanteur. / Elle est chanteuse.

Précis de grammaire

Le féminin des adjectifs

En général, pour former le féminin des adjectifs, on ajoute –e à l'adjectif au masculin.
Exemples : *Petit → Petite / Blond → Blonde / Brun → Brune / Grand → Grande*

! Les adjectifs qui se terminent en –e au masculin sont identiques au féminin :
Mince → Mince

! D'autres doublent leur consonne finale et prennent un -e : *Gros → Grosse*

! D'autres sont irréguliers : Beau → Belle / Roux → Rousse / Nouveau → Nouvelle

« Est-ce que ? » et « Qu'est-ce que ? »

- Les questions avec « Est-ce que » sont des questions fermées et impliquent les réponses « oui » ou « non ».
Est-ce que tu es libre ? Oui.
- Les questions avec « Qu'est-ce que » sont des questions ouvertes et impliquent une quantité indéfinie de réponses.
On ne peut pas répondre par « oui » ou « non ».
Qu'est-ce que tu étudies ? J'étudie les mathématiques / la géographie ...

Les articles définis

- L'article défini se place devant les noms. Il a des formes différentes au masculin, au féminin et au pluriel.
Pour les noms masculins singuliers : le ou l'
Pour les noms féminins singuliers : la ou l'
Pour les noms pluriels : les
- Il introduit une chose ou une personne déjà identifiées (le professeur de français, les nuages ...)

Les articles indéfinis

L'article indéfini se place devant un nom. Il a des formes différentes au masculin, au féminin et au pluriel.
Devant un nom masculin singulier, on utilise « un », devant un nom féminin singulier on utilise « une »
et devant un nom pluriel masculin ou féminin on utilise « des ».
Un aéroport
Une piscine
Des salles de concerts

Le pluriel des adjectifs

Pour former le pluriel des adjectifs, on ajoute un « s » final à l'adjectif au singulier.
Grand → Grands
Belle → Belles

! Pour les adjectifs qui terminent en -eau, on ajoute un « x » final à l'adjectif au singulier.
Beau → Beaux

Il y a

L'expression « Il y a » ne change pas devant le masculin, le féminin, le singulier ou le pluriel.
Il y a un métro.
Il y a une pièce de théâtre.
Il y a des sports aquatiques.

Faire du, de la, de l'

Après le verbe « faire » on emploie :
- du si le mot est masculin : *Il fait du tennis.*
- de la si le mot est féminin : *Il fait de la natation.*
- de l' si le mot commence par **une voyelle** : *Il fait de l'escalade.* (activité qui commence par une voyelle)

Jouer à la, au, aux

Après le verbe « jouer » on emploie :
- au si le mot est masculin : *Il joue au tennis.*
- à la si le nom est féminin : *Elle joue à la pétanque.*
- aux si le nom est au pluriel : *Tu joues aux cartes.*

! Parfois « faire du » = « jouer à » mais pas toujours !
Faire du tennis / Jouer au tennis
Mais on ne peut pas dire « jouer à l'escalade » ou « faire des cartes ».

Aller au, à la, à l'

Après « aller » on emploie :
- au devant un nom masculin singulier.
Il va au parc.
- à la devant un nom féminin singulier.
Il va à la piscine.
- à l' devant un nom qui commence par **une voyelle** ou un « **h** ».
Il va à l'aéroport. Il va à l'hôtel.

Les pronoms interrogatifs « qui », « quand », « où »

On utilise les pronoms interrogatifs pour poser des questions.
- Qui sert à poser une question sur une personne.
Qui fait du foot avec toi ?
- Quand sert à poser une question sur un moment.
Quand est-ce que tu joues au volley ?
- Où sert à poser une question sur un lieu.
Où est-ce que tu vas en vacances ?

Les articles partitifs

On utilise les articles partitifs quand on veut exprimer une quantité non déterminée**.**
Un jus de fruit (la quantité est précise) ≠ du jus de fruit (la quantité n'est pas précise)
Les articles partitifs s'accordent avec le substantif.
Si le substantif est masculin singulier, j'utilise du.
Si le substantif est féminin singulier, j'utilise de la.
Si le substantif est masculin ou féminin singulier et commence par **une voyelle** ou un « **h** », j'utilise de l'.
Si le substantif est masculin ou féminin pluriel, j'utilise des.

! On utilise de pour exprimer une quantité négative.
*Je mange **un** croissant → Je ne mange **pas** de croissant.*
*Nous désirons du pain → Nous **ne** désirons **pas** de pain.*

Précis de grammaire

Les articulateurs du discours

Pour énumérer → et
Pour proposer des options → ou
Pour faire une conclusion → donc, alors
Pour indiquer un ordre chronologique → d'abord, après

L'appartenance

Pour exprimer l'appartenance, on utilise :

• C'est + objet + de + nom de la personne qui possède :
C'est le pull de Pierre.

• Objet + est (ou c'est) + à + nom de la personne qui possède ou pronom :
Le pull est à Sylvia → C'est à Sylvia → C'est à elle.
Le pull n'est pas à moi → Ce n'est pas à moi.

! de + le → du // de + les → des // a + le → au // a + les → aux

Les adjectifs démonstratifs

Ce + mot masculin (*ce* pantalon, *ce* short...)
Cette + mot féminin (*cette* chemise, *cette* écharpe...)
Ces + mot pluriel (*ces* montres, *ces* chaussures...)

! On utilise cet avec un mot masculin qui commence par une voyelle (*cet* ordinateur).

Les adverbes de quantité

Pour préciser une quantité, on utilise un peu, assez, très, trop + adjectif.
C'est assez cher.
C'est trop cher.
C'est très branché.
C'est un peu démodé.

! Beaucoup s'utilise après un verbe.
Elle lit beaucoup.

L'adverbe interrogatif « combien »

Pour connaître une quantité, on utilise combien au début de la question.
Combien coûte cette chemise ?

! Avec un substantif on utilise combien de / d'
Combien d'élèves ont un smartphone dans la classe ?

Le complément du nom

Le complément du nom donne des précisions sur un mot.
Il peut exprimer l'appartenance, la matière ou la provenance.
En général, pour exprimer l'appartenance ou la provenance on utilise de + un article ou un adjectif possessif + nom.

! On ne dit pas ~~**de le**~~ ni ~~**de les**~~ mais du et des.
C'est la tablette du directeur.
C'est le look des adolescents.
Voici le chien de mes enfants.
Pour exprimer la matière on utilise en ou de.
Un pull en laine
C'est un vase de Chine.

Les prépositions de lieu

On utilise sur – dans – à côté de – devant ou derrière pour se situer ou situer des objets dans l'espace.
Le livre est sur le bureau.
L'affiche est derrière le lit.

Chez + pronom personnel ou nom de métier

Le mot chez est utilisé en français pour dire correctement « à la maison de... ».
Il peut être suivi d'un pronom personnel : moi, toi, lui, elle, nous, vous, eux, elles mais aussi d'un nom de métier, d'un prénom...
Après le lycée, je rentre chez moi.
Vous allez chez Romain ou chez le médecin ?
Chez mon grand-père, il n'y a pas de télé.

L'interrogation par intonation ou avec inversion du sujet

Il y a plusieurs manières de poser une question.

• **Sujet + verbe + complément** (il faut faire attention à l'intonation !). C'est l'interrogation par intonation.
Tu peux venir à la fête avec ton correspondant ?
Vous êtes d'accord pour organiser la fête ?

• **Verbe + sujet + complément** (il ne faut pas oublier le tiret entre le verbe et le sujet !).
C'est l'interrogation par inversion du sujet.
Es-tu libre le samedi 19 juin ?
Que préférez-vous apporter à la fête toi et ton correspondant ?

Avoir mal à la, au, aux...

L'expression avoir mal est suivie de à + article défini + nom d'une partie du corps.

• Avec un **nom masculin singulier**, l'expression est avoir mal au.
J'ai mal au dos / J'ai mal au pied.

• Avec un **nom féminin singulier**, l'expression est avoir mal à la.
Il a mal à la gorge / Ils ont mal à la tête.

• Avec un nom **masculin / féminin pluriel**, l'expression est avoir mal aux.
Elle a mal aux oreilles / Vous avez mal aux jambes ?

Conjugaison

Les pronoms personnels sujets

En français, il y a toujours un nom sujet ou un pronom personnel sujet devant le verbe.

Personne	Pronom sujet	Verbe
1re personne du singulier	Je / J'	suis / parle / ai / aime
2e personne du singulier	Tu	es / parles / as / aimes
3e personne du singulier	Il / Elle	est / parle / a / aime
1re personne du pluriel	Nous	sommes / parlons / avons / aimons
2e personne du pluriel	Vous	êtes / parlez / avez / aimez
3e personne du pluriel	Ils / Elles	sont / parlent / ont / aiment

Les verbes « être » et « avoir »

(Tableau de conjugaison page 112).

• On utilise être avec les nationalités.
Je suis français.

• On utilise avoir pour indiquer l'âge.
J'ai 16 ans.

• On utilise aussi être pour décrire.
La maison est grande.

• On utilise aussi avoir pour indiquer la possession.
Elle a un vélo.

Les verbes en –er

Les verbes en -er sont presque tous réguliers.
Formation : on remplace **–er** par –e, -es, -e, -ons, -ez, -ent.
! Certains verbes ont des particularités.
Manger → Nous mangeons.
Acheter → J'achète, nous achetons

Les verbes pronominaux

Les verbes pronominaux ont toujours un pronom personnel devant le verbe.
Il change selon les personnes.

Je me douche.
Tu te douches.
Il / Elle se douche.
Nous nous douchons.
Vous vous douchez.
Ils / Elles se douchent.

Le verbe « vouloir »

(Tableau de conjugaison page 114)

• Il exprime la **volonté**, le **désir**.
Je veux un vélo.

• Après le verbe, on emploie un **substantif** ou un **verbe à l'infinitif**.
Tu veux faire du judo.
Nous voulons un gâteau au chocolat.

Le verbe « pouvoir »

(Tableau de conjugaison page 114)

Le verbe pouvoir est un verbe irrégulier.

- Les formes de **je, tu, il / elle, ils / elles** se construisent à partir du radical peu-.
Je peux / Elles peuvent
- Les formes de **nous** et **vous** se construisent à partir du radical pouv- .
Nous pouvons

Le passé récent

Venir (au présent de l'indicatif) + de + verbe à l'infinitif
Pour exprimer une action passée très récente, on utilise :
Je viens de commander des pizzas.
Elle vient d'appeler.
Vous venez de terminer votre repas.

S'habiller, mettre, porter

Pour parler de son look on peut utiliser **mettre** ou **porter** + un vêtement ou un accessoire :
Il met des baskets.
Elle porte un bonnet.

Pour poser une question sur un look, on peut utiliser le verbe **s'habiller**.
Comment tu t'habilles pour sortir avec tes amis ?

Le verbe « devoir »

(Tableau de conjugaison page 114)

Pour exprimer une obligation on utilise **devoir + verbe à l'infinitif**.
Raphaël doit arriver à l'heure au lycée.
Nous devons faire nos devoirs.

Le futur proche

Pour exprimer une action future on utilise **aller + verbe à l'infinitif**.
Vous allez acheter un cadeau pour l'anniversaire de Paul.

L'impératif présent

L'impératif présent est le seul temps grammatical qui n'utilise pas de pronom sujet.
On l'utilise pour donner une instruction, un conseil, un ordre ou une interdiction.
Il s'utilise seulement avec les personnes **tu**, **nous** et **vous**.

Pour les verbes en -er, on ne met pas de « **s** » à la deuxième personne du singulier.
Présent de l'indicatif → Présent de l'impératif
– Tu téléphones à ta mère. → *Téléphone à ta mère !*
– Nous allons chez le médecin. → *Allons chez le médecin !*
– Vous préparez vos affaires. → *Préparez vos affaires !*
– Tu n'utilises pas ton téléphone. → *N'utilise pas ton téléphone !*

Conjugaison

Les auxiliaires

	Présent	Impératif	Impératif négatif
avoir	j'ai tu as il/elle a nous avons vous avez ils/elles ont	aie ayons ayez	n'aie pas n'ayons pas n'ayez pas
être	je suis tu es il/elle est nous sommes vous êtes ils/elles sont	sois soyons soyez	ne sois pas ne soyons pas ne soyez pas

Les verbes en *-er*

	Présent	Impératif	Impératif négatif
acheter	j'ach**è**te tu ach**è**tes il/elle ach**è**te nous achetons vous achetez ils ach**è**tent	ach**è**te achetons achetez	n'ach**è**te pas n'achetons pas n'achetez pas
aimer	j'aime tu aimes il/elle aime nous aimons vous aimez ils/elles aiment	aime aimons aimez	n'aime pas n'aimons pas n'aimez pas
appeler	j'appe**ll**e tu appe**ll**es il/elle appe**ll**e nous appelons vous appelez ils/elles appe**ll**ent	appe**ll**e appelons appelez	n'appe**ll**e pas n'appelons pas n'appelez pas
habiter	j'habite tu habites il/elle habite nous habitons vous habitez ils/elles habitent	habite habitons habitez	n'habite pas n'habitons pas n'habitez pas
jouer	je joue tu joues il/elle joue nous jouons vous jouez ils/elles jouent	joue jouons jouez	ne joue pas ne jouons pas ne jouez pas

	Présent	Impératif	Impératif négatif
manger	je mange tu manges il/elle mange nous mang**e**ons vous mangez ils/elles mangent	mange mang**e**ons mangez	ne mange pas ne mang**e**ons pas ne mangez pas
parler	je parle tu parles il/elle parle nous parlons vous parlez ils/elles parlent	parle parlons parlez	ne parle pas ne parlons pas ne parlez pas
payer	je paie/paye tu paies/payes il/elle paie/paye nous payons vous payez ils/elles paient/payent	paie / paye payons payez	ne paie / paye pas ne payons pas ne payez pas
préférer	je préf**è**re tu préf**è**res il/elle préf**è**re nous préférons vous préférez ils/elles préf**è**rent	préf**è**re préférons préférez	ne préf**è**re pas ne préférons pas ne préférez pas
se lever	je me l**è**ve tu te l**è**ves il/elle se l**è**ve nous nous levons vous vous levez ils/elles se l**è**vent	l**è**ve-toi levons-nous levez-vous	ne te l**è**ve pas ne nous levons pas ne vous levez pas

Les verbes en *-re*

	Présent	Impératif	Impératif négatif
mettre	je mets tu mets il/elle met nous mettons vous mettez ils/elles mettent	mets mettons mettez	ne mets pas ne mettons pas ne mettez pas
prendre	je prends tu prends il/elle prend nous prenons vous prenez ils/elles prennent	prends prenons prenez	ne prends pas ne prenons pas ne prenez pas

Conjugaison

Les semi-auxiliaires

	Présent	Impératif	Impératif négatif
aller	je vais tu vas il/elle va nous allons vous allez ils/elles vont	va allons allez	ne va pas n'allons pas n'allez pas
devoir	je dois tu dois il/elle doit nous devons vous devez ils/elles doivent	–	–
faire	je fais tu fais il/elle fait nous faisons vous faites ils/elles font	fais faisons faites	ne fais pas ne faisons pas ne faites pas
pouvoir	je peux tu peux il/elle peut nous pouvons vous pouvez ils/elles peuvent	–	–
savoir	je sais tu sais il/elle sait nous savons vous savez ils/elles savent	sache sachons sachez	ne sache pas ne sachons pas ne sachez pas
venir	je viens tu viens il/elle vient nous venons vous venez ils/elles viennent	viens venons venez	ne viens pas ne venons pas ne venez pas
vouloir	je veux tu veux il/elle veut nous voulons vous voulez ils/elles veulent	–	–

Lexique

Unité 0

À demain
août
Au revoir
avril
baguette, une
Bof
Bonjour
bus, un
Ça va.
Ça va bien.
café, un
Comment ça va ?
croissant, un
décembre
dimanche
février
janvier
jeudi
juillet
juin
lundi
mai
mardi
mars
mercredi
novembre
octobre
Salut ! (familier)
samedi
septembre
Très bien.
Tu vas bien ? (amical)
vendredi

Unité 1

adresse, l' (le numéro, le code postal, la ville)
américain(e)
anglais, l'
arabe, l'
arobase, l'
chinois, le
date de naissance, la
espagnol, l'
français, le
italien, l'
japonais(e)
mail, un
nationalité, une
nom, un
numéro de téléphone, un
point, un
prénom, un
tiret bas, un
tiret haut, un
tunisien(ne)
vietnamien(ne)

Unité 2

acteur, un / actrice, une
antipathique
avocat(e), un(e)
barbe, une
bête
blond(e)
brun(e)
chanteur, un / chanteuse, une
chat, un
cheveux bouclés
cheveux courts
cheveux longs
chien, un
commercial(e), un(e)
correspondant (e), un(e)
comédien(ne)
cousin, un / cousine, une
documentaliste, un(e)
drôle
enfants, des
famille, une
fille, une
fils, un
frère, un
garçon, un
gentil(le)
grand(e)
grand-mère, la
grand-père, le
grands-parents, les
hôpital, un
infirmier, un / infirmière, une
journaliste, un(e)
les yeux bleus
les yeux noirs
lunettes, des
lycée, un
mariage, un
marié, le / mariée, la
méchant(e)
médecin, un
mère, la
mince
parents, les
père, le
petit(e)
photographe, un(e)
poissons, des
professeur(e), un(e)
profession, une
série, une
sœur, une
sympa
tatouage, un
timide
tortue, une
tribunal, un
vendeur, un / vendeuse, une

Unité 3

après-midi, l'
basket, le
brosser les dents, se
champion, un
cinéma, un
coiffer, se
concert, un
danse, la
doucher, se
escalade, l'
été, l'
exposition, une
faire la vaisselle
faire son lit
fleuve, un
football, le
handball, le
heure, l'
hiver, l'
hockey, le
judo, le
laver
matin, le
mettre la table
midi
minuit
natation, la
parc, un
parkour, le
pique-nique, un
plongée, la
réveiller, se
stade, un
ski, le
stage, un
surf, le
tâches ménagères, les
tennis, le
théâtre, un
volley ball, le
week-end, le
zoo, un

Lexique

Unité 4

aimer
adorer
ajouter
aliments, des
assiette, une
bacon, le
bagel, un
banane, une
beaucoup de
beurre, le
boisson, une
bonbons, des
bouteille d'eau, une
carotte, une
carte, une
centilitre, un
céréales, des
cerises, des
champignon, un
chips, des
commander
confiture, la
couteau, un
croissant, un
cuillère, une
cuisiner
déjeuner, le
dessert, un
détester
dîner, le
farine, la
fast food, un
fourchette, une
frais
frites, des
fromage, un
fruit, un
gâteau au chocolat, un
glace, une
goûter, le
gramme, un
hamburger, un
haricot, un
J'aimerais
jambon, le
Je voudrais
jus de fruits, un
jus de pomme, un
laisser cuire
lait, le
légume, un
levure, la
manger
mayonnaise, la
mélanger
menu, un
œuf, un
olive, une
pain, le
pêche, une
petit-déjeuner, le
pita, une
pizza, une
plat, un
poire, une
poisson, un
pomme, une
pomme de terre, une
poulet, un
préférer
quiche, une
raisin, le
recette, une
repas, un
restaurant, un
riz, le
sachet, un
salade, une
sandwich, un
serviette, une
soda, un
sucre, le
tarte, une
tartine, une
thé, le
tomate, une
un peu de
verre, un
verser
viande, la

Unité 5

à carreaux
à fleurs
à la mode
à rayures
accessoire, un
acheter
baskets, des
bermuda, un
blanc / blanche
bleu(e)
bottes, des
bracelet, un
branché(e)
cadeau, un
casquette, une
chaîne, une
chapeau, un
chaussures, des (à talons)
chemise, une
cher / chère
chic
collier, un
commander
commerce
connecté(e)
console de jeu, une
coton, le
couleur, une
cuir, le
démodé(e)
doudoune, une
échanger
écharpe, une
fashionista, une
habiller, s'
hypermarché, un
jaune
jean, un
hispter, un
jupe, une
laine, la
leader, un
liseuse, une
look, un
un look émo
un look rappeur
magasin, un
maison, une
marron
matière, une
mettre
montre (connectée), une
motif, un
noir(e)
objet électronique, un
ordinateur portable, un
pantalon, un
Pas mal.
plastique, le
porter
pull, un
ringard(e)
robe, une
rose
rouge
smartphone, un
style, un
tablette, une
tee-shirt, un
téléphone portable, un
tendance, une
tongs, des
valise, une
vert(e)
veste, une
vêtement, un

Unité 6

à côté de
armoire, une
Avoir mal.
beau
bouche, la
bras, le
bureau, un
cache, une
chambre, une
cheville, la
cou, le
couloir, un
cuisine, une
dans
derrière
désert
devant
dos, le
entrée, une
fête, une
fontaine, une
galerie, une
garage, un
genou, le
géocaching, le
gorge, la
guitare, une
Il fait beau.
Il fait chaud.
Il fait froid.
Il pleut.
Il y a du soleil.
jambe, la
jardin, un
Le soleil brille.
lit, un
logement, un
manteau, un
main, la
maison, une
médecin, un
météo, la
métro, le
meuble, un
musée, un
neige, la
nuage, un
nez, le
oreille, l'
pavillon, un
pied, le
piscine, une
plein(e)
quartier, un
salle de bains, une
salon, un
sous
sur
tête, la
tram(way), le
ventre, le
vivant
yeux, les

Transcriptions

Unité 0

 **page 8, activité 3**

Dialogue 1
Homme : Bonjour Karine. Comment ça va ?
Femme : Bonjour Pierre. Ça va bien, merci et vous ?
Homme : Ça va.

Dialogue 2
Elsa : Hé ! Salut Julie. Tu vas bien ?
Julie : Salut Elsa. Très bien et toi ?
Elsa : Bof.

Dialogue 3
Homme : Au revoir Idriss.
Jeune garçon : Au revoir, monsieur. À demain.

 **page 9, activité 1**

A comme Amanda
B comme Bastien
C comme Claire
D comme David
E comme Emma
F comme Flore
G comme Gabriel
H comme Hugo
I comme Inès
J comme Jérôme
K comme Karim
L comme Lou
M comme Maxime
N comme Noémie
O comme Olivier
P comme Paul
Q comme Quentin
R comme Rebecca
S comme Samira
T comme Tiffany
U comme Ulysse
V comme Valentine
W comme Wilfried
X comme Xavier
Y comme Yvan
Z comme Zoé

 **page 9, activité 2**

Maxime : M-A-X-I-M-E
Bastien : B-A-S-T-I-E-N
Jerôme : J-E-R-Ô-M-E
Flore : F-L-O-R-E
Yvan : Y-V-A-N
Samira : S-A-M-I-R-A

 **page 9, activité 3**

1. L-O-U : Lou
2. K-A-R-I-M : Karim
3. P-A-U-L : Paul
4. Z-O-É : Zoé

 **page 10, activité 1**

Zéro – un – deux – trois – quatre – cinq – six – sept – huit – neuf – dix – onze – douze – treize – quatorze – quinze – seize – dix-sept – dix-huit – dix-neuf – vingt.

 **page 10, activité 2**

21 vingt et un
22 vingt-deux
23 vingt-trois
24 vingt-quatre
25 vingt-cinq
26 vingt-six
27 vingt-sept
28 vingt-huit
29 vingt-neuf
30 trente
31 trente et un
32 trente-deux
40 quarante
41 ...
42 ...
50 cinquante
60 soixante
70 soixante-dix
71 soixante et onze
72 soixante-douze
73 soixante- treize
74 ...
75 ...
76 ...
77 soixante-dix-sept
78 ...
79 ...
80 quatre-vingts
81 quatre-vingt-un
82 ...
83 ...
90 quatre-vingt-dix
91 quatre-vingt-onze
92 quatre-vingt-douze
93 ...
100 cent
101
200 ...
1000 ...

page 10, activité 3

a. 06 – 15 – 26 – 50 – 18
b. 04 – 74 – 67 – 49 – 10
c. 08 – 99 – 87 – 21 – 16
d. 03 – 11 – 78 – 81 – 91
e. 05 – 63 – 27 – 19 – 53

 **page 11, activité 5**

a. Le 15 juillet
b. Le 9 mai
c. Le 30 avril
d. Le 27 juin
e. Le 1er août
f. Le 6 septembre
g. Le 10 octobre

Unité 1

▸ Leçon 1

 **page 14, vidéo 1**

Salut, ça va ?
Léa : Salut les garçons.
Lucas : Salut Léa ! Ça va ?
Léa : Super. Voici mon correspondant italien.
Mario : Bonjour !
Killian : Bonjour.
Lucas : Bonjour. Enchanté. Comment tu t'appelles ?
Mario : Pardon ?
Lucas : Comment tu t'appelles ?
Mario : Je m'appelle Mario Simeoni. Et vous, comment vous vous appelez ?
Lucas : Je m'appelle Lucas et lui, c'est Killian. Tu habites à Rome ?
Mario : Oui, j'habite à Rome. Et vous, vous habitez à Montpellier ?
Lucas : Oui, j'habite à Montpellier et Killian habite aussi à Montpellier.
Killian : Tu parles français ?

Mario : Oui, je parle français, anglais et italien.
Killian : Nous parlons français, anglais et un peu l'allemand.
Léa : On est en retard. À demain les garçons !
Mario : Salut !
Lucas : Au revoir. À demain.

 **page 15, activité 5**

Pablo : Bonjour, je m'appelle Pablo. J'habite à Alicante. Je parle français, espagnol et anglais.
Yara : Salut, je m'appelle Yara, j'habite à Beyrouth et je parle arabe et français.

▸ Leçon 2

 **page 17, activité 8**

Présentateur : Bonjour. Bienvenue dans notre grand jeu de la francophonie. Voici les candidats.
Olivia : Bonjour. Je m'appelle Olivia, j'habite en Suisse à Lausanne. Je parle français et allemand. J'ai 16 ans.
Présentateur : Merci Olivia, et vous ?
Ibrahim : J'ai 17 ans, j'habite au Maroc et je m'appelle Ibrahim Ababou.
Présentateur : Et voici Rabida.
Rabida : Bonjour, j'habite aux Comores et je parle français. Ah ! Et j'ai 18 ans.

▸ Leçon 3

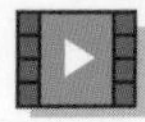 **page 18, vidéo 2**

Dans la rue
Léa : Oh, pardon, je suis désolée.
Lin : Merci.
Léa : Je m'appelle Léa. Et toi, comment tu t'appelles ?
Lin : Moi, c'est Lin.
Léa : Tu habites à Montpellier ?
Lin : Oui et toi ?
Léa : Oui, juste ici. Tu es japonaise, non ?
Lin : Non. Je suis française et chinoise.
Léa : Ah, d'accord. Moi, je suis française et espagnole. Je suis désolée, je dois y aller. À bientôt.
Lin : Salut. À bientôt.

 **page 19, activité 8**

Journaliste : Bonjour. Paris est une ville internationale et les habitants ne sont pas tous français. Voici notre enquête. Bonjour madame, vous êtes française ?
Passante 1 : Non, je suis brésilienne. J'habite au Brésil.
Journaliste : Et vous, monsieur ?
Passant 1 : Je viens de Grèce. Je suis grec.
Journaliste : Bonjour madame, vous êtes française ?
Passante 2 : Non, je suis américaine. Je viens des États-Unis.
Journaliste : Et vous, monsieur ? Vous habitez à Paris ? Vous êtes français ?
Passant 2 : Non, j'habite à Dakar, je viens du Sénégal.

▸ Leçon 4

 **page 20, activité 5**

Réceptionniste : Club des langues de Brest, bonjour.
Malika : Bonjour. C'est pour le cours de français.
Réceptionniste : Un moment s'il vous plaît. C'est bon. Vous avez quel âge ?
Malika : J'ai 17 ans.
Réceptionniste : Vous êtes française ?
Malika : Non, je ne suis pas française. Je suis tunisienne.
Réceptionniste : Quelle est votre date de naissance ?
Malika : Le 14 novembre 2002.
Réceptionniste : D'accord. Quel est votre numéro de téléphone ?
Malika : C'est le 07 85 78 99 81
Réceptionniste : Et votre adresse ?
Malika : 62, boulevard de la mer à Quimper.
Réceptionniste : Merci. Vous avez un mail ?
Malika : Oui c'est malika @monmail.com
Réceptionniste : Parfait. C'est bon. Bonne journée.
Malika : Merci. Au revoir, madame.

 **page 21, activité 11**

Malika : Bonjour. Je m'appelle Malika. C'est mon premier jour à l'école.
Samuel : Salut Malika, moi c'est Samuel et voici Ingrid.
Malika : Vous êtes français ?
Samuel : Non, nous sommes polonais.
Malika : D'accord. Et vous avez quel âge ?
Ingrid : Nous avons 17 ans, et toi ?
Malika : Moi aussi, et vous habitez à Brest ?
Samuel : Non, nous n'habitons pas à Brest. Nous habitons à Quimper.
Malika : Moi aussi. C'est cool ! Voilà Paco et Ismaël. Ils habitent à Quimper et ils ont 17 ans. Ils ne parlent pas français. Ils sont espagnols.

▸ Phonétique

 **page 24, activité 1**

Tu es française.
Tu es française ?

 **page 24, activité 2**

a. Je suis français.
b. Vous habitez en Espagne ?
c. Elle parle anglais ?
d. Elles habitent à Vancouver.
e. Tu as seize ans ?

 **page 24, activité 3**

a. Vous parlez français ?
b. Nous ne sommes pas belges.
c. Elle est italienne ?
d. Ils ont vingt ans.
e. Il habite à Paris ?

 **page 24, activité 4**

a. Vous parlez français ?
b. Nous ne sommes pas belges.

c. Elle est italienne ?
d. Ils ont vingt ans.
e. Il habite à Paris ?

 page 24, activité 6

a. Vous êtes **français** ?
b. **Où** on parle français ?
c. Vous avez **quel** âge ?
d. **Qui** est français dans la classe ?
e. Vous habitez **où** ?

Unité 2

▸ Leçon 1

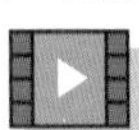 page 28, vidéo 3

La photo de mariage
Photographe : Bonjour, je suis la photographe. Très bien. Qui est le père de la mariée ?
Père : C'est moi.
Photographe : Est-ce que la mère de la mariée est là ?
Jeune mariée : Oui, c'est la femme brune avec des lunettes. Maman ! Et voici ma grand-mère, elle a 78 ans !
Photographe : Super ! Est-ce que vous avez des frères et des sœurs ?
Jeune marié : Moi, je suis fils unique. Mais j'ai un cousin, il s'appelle Lucas, le voici.
Jeune mariée : Viens Louise ! C'est ma sœur, elle a 17 ans mais elle est très grande !
Photographe : D'accord. Bon, maintenant que tout le monde est là, je peux prendre la photo, d'accord ? Souriez ! Clic clac !

 page 29, activité 4

Dialogue 1
Emma : Adèle, tu viens au parc ?
Adèle : Non, je ne peux pas. Je suis à l'anniversaire de ma grand-mère. Elle fête ses 75 ans.
Emma : Ah d'accord !

Dialogue 2
Tom : Alex, qu'est-ce que tu fais ?
Alex : Je suis à l'anniversaire de mariage de mes grands-parents. Ils fêtent leurs 50 ans de mariage.
Tom : Wouah, mais ils ont quel âge ?
Alex : Mon grand-père a 81 ans et ma grand-mère a 77 ans.
Tom : Ah ok...

▸ Leçon 3

 page 32, vidéo 4

People magazine
Léa : Qu'est-ce que c'est ?
Louise : C'est People Magazine, c'est le nouveau jury de La Future Star. Regarde !
Léa : Ah oui ! Ça, c'est Sandy, elle est comédienne et chanteuse et maintenant elle est dans le jury de La Future Star ?
Louise : Oui avec Malika, Max et Patrick Boulay.
Léa : Malika...
Louise : C'est elle, Malika, elle n'est pas très grande, elle est mince et brune. Elle est jolie.
Léa : Ah mais oui. Mais cette photo ? Qu'est-ce que c'est ?
Louise : Et bien c'est Sandy à ses débuts. Sur cette photo, elle est un peu grosse et elle a les cheveux longs.
Léa : Et ça, c'est Patrick Boulay ? Oh non mais moi je ne connais pas du tout le jury de La Future Star. Et ça c'est qui, cette fille, blonde, avec des tatouages ?
Louise : C'est la chanteuse Ambre, elle participe au jury de L'étoile de la Chanson avec Rémi Delannoy, un chanteur, grand, brun, les yeux noirs. L'ex-mari de la fille de Christelle Florès, tu sais l'actrice.
Léa : Oh non moi tu sais... Rémi Delannoy ? Il est beau non ? Regarde ! Ah ben voilà, ça c'est Big Boss et Badou, eux je les connais !
Louise : Et ben moi, franchement, je ne les aime pas.
Léa : Non ? Mais si...

 page 33, activité 7

Journaliste : Est-ce que vous voulez participer à un jeu et gagner une place de concert pour aller voir Bigflo et Oli ?
2 ados en même temps garçon et fille : Oui ! Qu'est-ce qu'il faut faire ?
Journaliste : Je vais décrire une personne célèbre. Il faut deviner qui c'est, ok ? Alors, première personne. Elle est américaine. Elle est grande, mince. Elle a les cheveux longs.
Ado fille : Est-ce qu'elle a des enfants ?
Journaliste : Oui, elle a 6 enfants.
Ado garçon : Qu'est-ce qu'elle fait ?
Journaliste : Elle est actrice. C'est l'ex-femme de Brad Pitt.
Ado fille : C'est Angélina Jolie !
Journaliste : Bonne réponse. Deuxième célébrité. C'est un homme, il est de taille moyenne. Il a les cheveux courts.
Ado garçon : Il est de quelle nationalité ?
Journaliste : Il est français.
Ado garçon : Qu'est-ce qu'il fait ?
Journaliste : Il est youtubeur.
Ado fille : Est-ce que c'est Norman ?
Journaliste : Non, ce n'est pas Norman !
Ado fille : Est-ce qu'il a des lunettes ?
Journaliste : Oui, il a des lunettes.
Ado garçon : C'est Cyprien ?
Journaliste : Très bonne réponse. Attention ! C'est un chanteur français très célèbre. Il est grand, il a les cheveux courts et les yeux bleus.
Ado fille : Est-ce qu'il a des tatouages ? Est-ce que c'est Matt Pokora ?
Journaliste : Non, ce n'est pas Matt Pokora.
Ado garçon : Est-ce c'est Johnny Hallyday ?
Journaliste : Bravo, c'est Johnny Hallyday. Voici ta place de concert pour Bigflo et Oli !

Leçon 4

 page 34, activité 5

1ère ado fille : Ma mère est sympa et un peu timide. Elle est commerciale dans une grande entreprise. Elle s'occupe de nous trois, moi, mon frère et ma sœur.
Ado garçon : Mon grand-père est antipathique, il n'est pas très gentil.
2ème ado fille : Ma sœur ? Elle n'est pas toujours cool avec moi. Mon frère, lui, il est drôle.

LA FRANCE
N
O
E
S
MER
DU NORD
ROYAUME-UNI
Cardiff
Tamise
Londres
Southampton
Pas de Calais
PAYS-BAS
Amsterdam
ALLEMAGNE
Bruxelles
Lille
MANCHE
BELGIQUE
Cologne
Cherbourg
Liège
Îles Anglo-
Normandes
Rouen
Ardennes
NORMANDIE
Seine
LUXEMBOURG
Mont-Saint-Michel
Reims
Brest
Paris
Francfort
BRETAGNE
Rennes
ÎLE-DE-FRANCE
Vannes
VOSGES
Belle-Île
Orléans
Strasbourg
Île de
Noirmoutier
Nantes
Loire
Tours
Stuttgart
Rhin
Ballon de
Guebwiller
1424 m
Dijon
Île d'Yeu
Morvan
Île de Ré
La Rochelle
Poitiers
JURA
Île d'Oléron
Zurich
Berne
Crêt de
la Neige
1718
SUISSE
Limoges
AUVERGNE
Lyon
Genève
Mont Blanc
4807m
Puy de Sancy
1886 m
Bordeaux
Vercors
MASSIF
Grenoble
ALPES
OCÉAN
CENTRAL
Milan
ATLANTIQUE
AQUITAINE
Garonne
Rhône
Turin
ITALIE
Cévennes
Bilbao
Gênes
Toulouse
Montpellier
PYRÉNÉES
LANGUEDOC-
ROUSSILLON
Camargue
PROVENCE
ESPAGNE
MONACO
Marseille
Estérel
ANDORRE
MER
Maures
Pic d'Aneto
3404 m
Saragosse
MÉDITERRANÉE
Îles d' Hyères
GUADELOUPE
Pointe-
à-Pitre
MARTINIQUE
Fort-de-
France
LA RÉUNION
St- Denis
GUYANE
Cayenne
ST-PIERRE-ET-MIQUELON
Miquelon
St-Pierre
MAYOTTE
Dzaoudzi
NOUVELLE-CALÉDONIE
Noumea
POLYNÉSIE
Mooréa
Papeete
Tahiti
WALLIS ET FUTUNA
Wallis
Uvéa
Futuna
Monte
Cinto
2710 m
Corse
Ajaccio

▸ Phonétique

 **page 38, activité 1**

a. Ils s'appellent Marc et Sophie.
b. Elles parlent anglais et français.
c. Nous parlons chinois.

 **page 38, activité 2**

a. Français
b. Père
c. Fils
d. Chat

 **page 38, activité 3**

a. Elle habite à Paris.
b. Nous habitons à Québec.

 **page 38, activité 4**

a. Ils habitent à Paris.
b. Les médecins travaillent dans des hôpitaux.

 **page 38, activité 5**

a. Vous habitez où ?
b. C'est un garçon très sympa.
c. Les infirmières travaillent dans des hôpitaux.
d. Ces actrices sont célèbres.
e. Nous étudions le français.

 **page 38, activité 7**

a. Dix-huit
b. Quatre-vingt-un
c. Vingt-huit
d. Soixante et onze

 **page 38, activité 8**

a. Ils ont deux enfants.
b. Vous avez des petits-enfants ?
c. Nous habitons à Madrid.
d. Elle a les yeux bleus.
e. Il a quatre-vingt-dix ans.

Unité 3

▸ Leçon 1

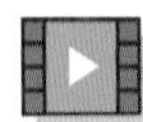 **page 42, vidéo 5**

Voyage à Lyon
Killian : Alors Léa, ton voyage à Lyon ?
Léa : Super génial. Marine est très sympa, vraiment chouette.
Lucas : Tu as des photos ?
Léa : Oui, bien sûr. Regarde, c'est elle. Ici, avec ses parents et son frère dans leur maison.
Lucas : Cool, c'est tout ?
Léa : Non ce n'est pas tout... Ici c'est le parc de la tête d'or, c'est très joli, il y a même un zoo avec des girafes. Là, c'est la piscine. Marine est très sportive, elle fait de la natation tous les jours.
Killian : Ah ouais ? Wouah !
Léa : Oui, c'est une grande sportive. Elle se lève très tôt le matin, elle va à la piscine puis au lycée et puis elle retourne à la piscine faire de la natation en fin d'après-midi jusqu'au soir.
Lucas : Impressionnant ! Et la ville de Lyon, c'est sympa ?
Lea : Très. Regarde, ici c'est le Rhône, un grand fleuve français, le théâtre des Célestins, ses parents adorent aller au théâtre, le quartier de la Part-Dieu, et le stade... Le frère de Marine fait du foot. Marine, elle va aussi au stade, elle fait de l'athlétisme en plus de la natation. Elle est super forte, c'est incroyable ! Regardez !

▸ Leçon 2

 **page 44, activité 1**

Kevin : Je m'appelle Kevin, je fais du parkour à Paris avec mes copains. Nous faisons du parkour dans la ville. Nous courons, nous sautons, nous escaladons. Faire du parkour, ce n'est pas un sport individuel, c'est un sport collectif. C'est comme faire du football ou du volleyball en fait, c'est un sport d'équipe.
Marco : Moi c'est Marco, et j'ai 17 ans. Mon champion c'est Simon Nogueira bien sûr. C'est le champion de France de parkour, il a 24 ans et il fait du parkour dans Paris. C'est la star du parkour.

▸ Leçon 3

 **page 46, vidéo 6**

Une journée bien remplie
Voix off : Killian a 17 ans, il est en terminale dans un lycée à Montpellier. Tous les matins, il se réveille à 7h, se lève, se douche, s'habille, prend son petit-déjeuner, se brosse les dents et se coiffe, moment important pour lui. Killian sort de sa maison à 8h30, il commence les cours à 9h. Killian fait du skate, il va au lycée en skate, c'est cool et rapide. Aujourd'hui, Killian mange avec Lucas à midi. Le lundi après-midi, il y a sport. Killian et ses copains se changent dans les vestiaires. Ils font du foot et du volley. À 17h, c'est la fin des cours ; Killian rentre à la maison, il fait ses devoirs. À 20h, il dîne. Après le dîner, Killian joue aux jeux vidéo ou surfe sur Internet. À 22h, il se couche.

page 47, activité 5

Alexia : Qu'est-ce que vous faites demain ?
Simon : Moi, je vais à la piscine demain !
Alexia : Ah super ! Et toi Louis ?
Louis : Je ne sais pas. Le samedi à 10 h, Claire va au stade. Je vais au stade avec elle je pense.
Alexia : On fait un pique-nique à midi dans le parc ? Et l'après-midi, à 16h, il y a un concert.
Simon : Super idée !

 **page 47, activité 8**

Jason : Le matin, je fais mon lit et j'apprends le français ! L'après-midi, je fais du sport et je vais au cinéma. Je m'amuse beaucoup.
Charlotte : Je fais du ski l'après-midi, et aujourd'hui, je mets la table avec une amie ! C'est cool !
Éléonore : Moi, je n'aime pas ces vacances. Le matin, je me lève à 7h. Ce ne sont pas des vacances ! Je fais mon lit, je lave la vaisselle, je mets la table ... C'est horrible ! Je ne fais pas ça à la maison, moi !

Transcriptions

▸ Leçon 4

page 49, activité 4

La mère : Ma chérie, qu'est-ce que tu fais aujourd'hui ?
Romane : Maman, tu sais bien, aujourd'hui, je vais au théâtre avec la classe !
La mère : Ah oui, c'est vrai ! Qu'est-ce que vous allez voir ?
Romane : Les Petite Reines, c'est au théâtre Tristan Bernard, à 14h, ils font une représentation pour les lycéens.
La mère : À quelle heure tu rentres à la maison ?
Romane : Après le théâtre je fais mes devoirs avec Sonia. J'ai rendez-vous à 17h.
La mère : D'accord, alors tu es à la maison à 19h ? Tu mets la table aujourd'hui !
Romane : D'accord.

▸ Phonétique

page 52, activité 2

1. La piscine
2. La ville
3. Le parkour
4. Je joue au foot.
5. Il va au cinéma.
6. Vous vous douchez.
7. Elle se couche à 22h.
8. Nous dînons à 20h.

page 52, activité 3

1. dîner
2. vous
3. tu
4. rue
5. tennis
6. qui
7. où

page 52, activité 6

1. Jeudi, nous allons au théâtre avec le lycée.
2. Je fais de l'escalade le dimanche.
3. Nous jouons aux cartes avec mon frère.
4. Emilie, elle fait du parkour en été.
5. Tu vas au musée lundi ?

Unité 4

▸ Leçon 1

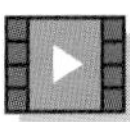

page 56, vidéo 7

Déjeuner au camion restaurant
Vendeur : Merci beaucoup, à bientôt. Bonjour ! Qu'est-ce que vous désirez ?
Killian : Qu'est-ce que vous voulez dans votre bagel ?
Léa : Dans quoi ?
Killian : Un bagel. Regarde, c'est ça. C'est un sandwich.
Lucas : C'est super bon et pas cher ! J'adore le bagel poulet mayonnaise. Et toi Léa ?
Léa : Je ne sais pas....
Killian : Regarde, regarde la carte. Qu'est-ce que tu préfères ?
Léa : Heu... j'aime la salade, j'aime les tomates, le poulet et le jambon.
Killian : Tu aimes les œufs ?
Léa : Ah non, je déteste les œufs.
Vendeur : Alors, qu'est-ce que vous désirez ?
Killian : Pour moi, un bagel tomate fromage s'il vous plaît.
Lucas : Moi, un bagel poulet mayonnaise.
Killian : Et toi Léa ?
Léa : Pour moi... un bagel avec du jambon et de la salade, s'il vous plaît.
Vendeur : C'est noté.

page 56, activité 5

Inès : Allô Mathis, salut c'est Inès. J'organise une fête chez moi demain pour la finale de la coupe du monde ! Qu'est-ce que tu préfères : Pizza ? Sandwich ? Hamburger ?
Mathis : Salut, Inès. C'est super, j'adore les pizzas.
Inès : D'accord, donc je commande des pizzas. Avec des tomates ou du jambon ?
Mathis : Moi, je préfère les pizzas avec des tomates, du jambon et du fromage.
Inès : OK ! À demain alors !
Mathis : J'apporte des frites ! Lily adore les frites !
Inès : OK !

▸ Leçon 2

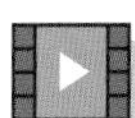

page 58, vidéo 8

Les pancakes du Québec
Gabriel : Bonjour, me revoilà ! Je rentre du Canada ! Le Canada, c'est super ! Vous connaissez les pancakes ? J'adore ! D'abord, les ingrédients : 250 grammes de farine, 3 œufs, 60 grammes de beurre fondu, 25 centilitres de lait, un sachet de levure, 2 cuillères à café de sucre et un peu d'huile.
La recette est simple. Je mélange la farine, le sucre et le sel. Après, je verse le lait. J'ajoute le beurre et les œufs. Je mélange rapidement. La pâte est prête. Dans une poêle, je verse un peu d'huile et un peu de pâte. Je laisse cuire et après, je retourne le pancake. Quand il est prêt, je verse beaucoup de sirop d'érable, j'adore ça ! Et voilà mon pancake. Alors, à vous de jouer ! Bon appétit !

▸ Leçon 3

page 60, activité 1

Adeline : Comme boisson qu'est-ce que vous désirez ?
Homme : De l'eau et un jus de fruits, s'il vous plaît.
Adeline : Et pour manger ?
Homme : Nous n'avons pas la carte.
Adeline : Oh pardon ! Voici la carte et le menu.
Homme : Un steak frites pour moi, s'il vous plaît.
Femme : Qu'est-ce que c'est une « salade niçoise » ?
Adeline : C'est une salade avec des tomates, des haricots, des œufs et du thon.
Femme : D'accord pour la salade niçoise alors.
Adeline : Le steak frites, c'est pour qui ?
Homme : C'est pour moi.
Adeline : Oh pardon. C'est la salade niçoise. C'est pour vous, madame ?
Femme : Hoooo ! Le verre ! Faites attention !

Adeline : Je suis désolée madame.
Femme : Mais, vous essuyez la table avec ma serviette ?
Adeline : Je vous apporte une autre serviette tout de suite.
Voilà le steak frites, monsieur.
Homme : Je n'ai pas de couteau.
Adeline : Voilà, monsieur. Je suis désolée.
Homme : Et je n'ai pas de fourchette.
Adeline : Voilà, monsieur. Je suis désolée.
Homme : La pauvre. C'est son premier jour !

page 60, activité 3

Journaliste homme : Bonjour. Bienvenue dans notre jeu gastronomique. Les participants sont Guillaume, 16 ans et Jade, 18 ans. Alors, question numéro 1. Quel est le plat préféré des adolescents ?
1 : le hamburger, 2 : les chips, 3 : la pizza. Guillaume ?
Guillaume : Hum... la pizza ?
Journaliste homme : Correct ! Question numéro 2. Qu'est-ce qu'un pain bagnat ?
1 : un restaurant, 2 : un sandwich, 3 : une crêpe espagnole ? Jade ?
Jade : Une crêpe ?
Journaliste homme : Non. Ce n'est pas une crêpe. Guillaume ?
Guillaume : Un sandwich.
Journaliste homme : Bonne réponse. Dernière question. Quelle est la boisson préférée des ados ?
1 : le jus de fruit, 2 : le café, 3 : l'eau. Jade ?
Jade : Le café ?
Journaliste homme : Non, ce n'est pas le café. Guillaume ?
Guillaume : Le jus de fruits ?
Journaliste homme : Non, c'est l'eau bien sûr !

▸ Leçon 4

page 63, activité 5

Jeune femme : Snack and Go, bonjour.
Paul : Bonjour. C'est pour une commande.
Jeune femme : Je vous écoute.
Paul : Je voudrais un menu avec une pizza et des frites.
Jeune femme : Qu'est-ce que vous voulez comme boisson ?
Paul : Un soda, s'il vous plaît.
Jeune femme : Un grand soda ou un petit soda ?
Paul : Un grand soda.
Jeune femme : D'accord. Avec ça ?
Paul : Un bagel au poulet et une bouteille d'eau.
Jeune femme : Qu'est-ce que vous voulez comme dessert ?
Paul : Une crêpe, s'il vous plaît. Combien ça coûte ?
Jeune femme : Un menu, un bagel au poulet, une boisson ça fait 18€50. Quelle est votre adresse ?
Paul : 15 rue des bains.
Jeune femme : C'est noté ! Votre commande arrive à 20h.
Paul : Merci. Au revoir.

▸ Phonétique

page 66, activité 1

Le – Les – Lait

page 66, activité 3

a. lait b. café c. assiette d. céréales e. petit

page 66, activité 4

a. Je voudrais du pain, s'il vous plaît.
b. Qu'est-ce que vous mangez au petit-déjeuner ?
c. Je n'ai pas d'assiette.
d. J'aimerais un verre de lait frais.
e. Je mange avec une fourchette.
f. Elle adore les hamburgers.

page 66, activité 6

a. Déjeuner
b. Beurre
c. Fourchette
d. Menu
e. Bagel

page 66, activité 7

a. Assiette
b. Manger
c. Goûter
d. Thé
e. Verre

page 66, activité 8

a. Vous voulez du café ou du thé avec du lait ?
b. Je déteste le poulet.
c. Mélangez une cuillère à café dans un verre d'eau.
d. J'adore les œufs brouillés pour le petit-déjeuner.
e. Il n'y a pas de verre sur la table.
f. La glace au café est sur le menu.

Unité 5

▸ Leçon 1

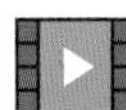
page 70, vidéo 9

Le blog mode
Louise : Salut tout le monde ! Voici ma vidéo sur les vêtements à la mode en 2019, pour les filles bien sûr. Mais pour les garçons aussi ! Voici le vêtement indispensable pour être tendance : le pantalon noir. C'est chic, confortable et facile à porter. Il y a beaucoup de modèles : classiques ou modernes. Moi, je porte toujours ce modèle. Un autre vêtement important de votre armoire, je vous présente le tee-shirt blanc ! En été, vous portez des tee-shirts. Le bleu, le rouge et le vert sont les couleurs de cette année. Quel tee-shirt je mets aujourd'hui ? Ha ba oui ! Un tee-shirt rouge ! C'est ma couleur préférée ! Pensez aussi aux chaussures : des bottes marron pour les filles et des baskets blanches pour les garçons. Et pour cet été, mettez une jupe bleue et une chemise rose avec des baskets ou des tongs ! Voilà, c'est terminé ! J'attends vos questions dans les commentaires ! À bientôt pour une nouvelle vidéo !

Transcriptions

▸ Leçon 2

page 73, activité 6

Killian : Salut. À qui est ce pull jaune super tendance ? C'est comme le pull de Soprano, non ?
Lucie : Bah, c'est le pull de Florent ! Montre. Oui, c'est son pull...
Florent : Ah non, désolé Lucie. Mon pull est beaucoup plus joli !
Killian : Il n'est à personne alors ? Je le garde ?
Adam : Eh ! Mais c'est à moi ! C'est mon pull !
Lucie : C'est toujours pareil ! Adam perd toujours ses vêtements.
Adam : Oh arrête Lucie. Tu n'es pas ma mère ! C'est pas vrai !
Lucie : Tu es sûr ? Regarde tes chaussures. Pourquoi elles sont différentes ?
Adam : Bah, c'est tendance !
Lucie : Oui, c'est ça....

▸ Leçon 3

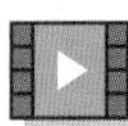
page 74, vidéo 10

Objets connectés
***Voix off* :** Aujourd'hui, pour être à la mode on est amis avec des youtubeurs, on regarde des vidéos et on achète leurs vêtements. Mais être à la mode, c'est avoir des objets électroniques et connectés. Le téléphone portable est indispensable pour parler avec ses amis, envoyer des messages et se connecter à Internet. Et n'oublions pas les montres et les bracelets connectés. À la maison et à l'école, on utilise la tablette ou l'ordinateur portable pour chercher des informations ou regarder des vidéos. Et quand on a du temps libre, on utilise une console de jeu et on joue avec des amis du monde entier. Mais on peut aussi écouter de la musique avec un casque ou des écouteurs ou lire un livre sur une liseuse.

page 75, activité 6

Julie : Excusez-moi, je voudrais acheter une tablette. Vous pouvez m'aider ?
Vendeur : Oui, bien sûr.
Julie : Vous avez combien de modèles ?
Vendeur : Nous avons deux modèles. Une tablette blanche et une tablette noire.
Julie : J'aime le deuxième modèle. Combien il coûte ?
Vendeur : Il coûte 350€.
Julie : Et l'autre modèle ?
Vendeur : Il coûte 200€.
Julie : Non, c'est trop cher. Quel autre objet je peux acheter pour 100 € maximum ?
Vendeur : Alors, vous avez ce bracelet pour 100 € et une liseuse pour 50 €.
Julie : D'accord. Je trouve le bracelet assez cher. Je pense que la liseuse est une bonne option. C'est bon marché. Combien de livres on peut télécharger ?
Vendeur : Entre 1000 et 1500 livres. La mémoire de la liseuse est de 250 gigas. C'est un très bon produit.
Julie : D'accord. Je prends ce modèle alors. Combien je vous dois ?
Vendeur : 50 €, s'il vous plaît. Vous payez par carte ou en liquide ?
Julie : En liquide. Voilà.
Vendeur : Voici votre ticket et votre liseuse.
Julie : Merci, au revoir.
Vendeur : Au revoir, bonne journée.

▸ Leçon 4

page 77, activité 5

Olivia : Oh regarde ce pantalon, il est chic !
Camille : Oui, c'est vrai !
Olivia : Mais, moi, je cherche un pull... tu sais, un pull oversize, c'est la mode maintenant.
Camille : Eh bien voilà, il est beau, ce pull, non ?
Olivia : Mmm... En laine ou en coton ?
Camille : En hiver, il fait froid, la laine, c'est mieux, c'est chaud.
Olivia : Oui, mais la laine, ça pique !
Camille : Le coton, c'est plus léger, mais en automne, ça va bien aussi.
Olivia : Et puis ici, en hiver, il ne fait pas très froid.

▸ Phonétique

page 80, activité 1

a. Fiche
b. Fige

page 80, activité 3

a. Un manteau rouge.
b. Une jupe jaune
c. Un short orange.
d. Un gilet rose.

page 80, activité 4

a. Un chapeau
b. Une jupe
c. Des chaussures
d. Une chemise
e. Charger
f. Joli

page 80, activité 5

a. Jaune
b. Des chaussures à talons
c. Orange
d. Un échange
e. Brancher
f. Un gilet

page 80, activité 6

a. Je veux un pantalon rouge.
b. Tu achètes cette jupe ?
c. Cette chemise est branchée.
d. Vous voulez faire un échange ?
e. Ces chaussures orange sont démodées.

Unité 6

▸ Leçon 1

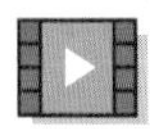

page 84, vidéo 11

La maison d'Arthur

Mario : Tu sais mon correspondant Arthur, il habite à Montpellier. Il a une super maison. Là, c'est la chambre d'Arthur ! Là, c'est son lit, et ça, c'est son bureau. De sa fenêtre on peut voir le jardin et la piscine, c'est trop bien. Voici la salle de bains. Alors là, je suis de nouveau dans le couloir… Et ça, c'est ma chambre, la chambre d'amis. Et ça, c'est la cuisine. Ici, le salon. La télé est grande. Ses parents viennent de changer de télé, pour jouer aux jeux vidéo ou regarder un film, c'est top. Et pour faire la fête aussi, il y a beaucoup de place et les parents d'Arthur sont d'accord.

page 85, activité 6

Julia : Mario, je peux prendre ta raquette de tennis ? Elle est où ?
Mario : Oui, tu peux. Elle est sur l'armoire.
Julia : Et les balles ? Je peux prendre les balles ? Elles sont où ?
Mario : Sous le lit.
Julia : Et maman peut prendre ton sac de sport ?
Mario : Oui, mais pour quoi faire ? Et je ne sais pas où il est. Sous le lit peut-être, avec les balles de tennis.
Julia : Pour le laver ? Oh, ta tablette est sur le bureau !
Mario : Ah ça non ! Tu ne peux pas prendre ma tablette !

page 85, activité 8

Arthur : Hugo, c'est Arthur. Je fais une fête à la maison samedi pour le départ de Mario. Mes parents sont d'accord, vous pouvez tous venir. On peut faire un pique-nique dans le jardin et on peut se baigner dans la piscine. Vous pouvez apporter des chips et des boissons. Est-ce que tu peux venir m'aider à faire des gâteaux ? Je vais aussi demander à Simon et Jeanne de faire les courses.

▸ Leçon 2

page 87, activité 6

Antoine : J'ai une idée pour ton anniv'. On peut aller au parc de la cité de l'espace ! C'est vraiment cool. On peut même assister à un lancement de fusée et nous pouvons déjeuner à la *Terrasse guyannaise* ou à *L'astronaute café*. *L'astronaute café*, c'est sympa, il y a un astronaute à l'entrée ! La *Terrasse guyannaise*, c'est bien aussi, c'est juste devant la fusée Ariane, mais c'est souvent bondé. Et puis c'est dehors, alors, s'il pleut, c'est pas top !

▸ Leçon 3

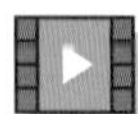

page 88, vidéo 12

En route !
Chloé : Salut, Raphaël !
Raphaël : Salut, ça va ?
Chloé : Tu es où ?
Raphaël : En face de l'arrêt du tram, tu vois ?
Chloé : Ah oui ! Bonjour ! Tu connais le trajet pour aller à la fête ?
Raphaël : Non, mais attends, on va regarder… Voilà, c'est ici, c'est dans ce restaurant.
Chloé : Ah, d'accord, donc c'est super facile à trouver, alors.
Raphaël : Oui, ce n'est pas loin. On traverse le jardin… on passe devant le cinéma.
Chloé : Et maintenant ?
Raphaël : On prend une petite rue à droite et on arrive sur une place. Voilà la place ! Où est le restaurant ?
Chloé : Là, regarde ! C'est la terrasse du restaurant, derrière la statue ! Tiens, Mathilde n'est pas là… C'est bizarre.
Raphaël : Elle ne sait peut-être pas venir ? On appelle Mathilde ?

page 88, activité 2

Émilien : Voici la description laissée sur Geocaching.fr. Le zoo du Jardin des Plantes, à Paris, date du XIXe siècle. La cache est dans le zoo.
Dana : C'est grand, le jardin des plantes. Comment on va trouver ?
Émilien : On va utiliser la phrase mystère : QR yn pnpur, iref yr ABq …
Dana : Ah mais oui, bien sûr !
Émilien : Fais un effort. Pour comprendre, nous appliquons le code, c'est facile. Cela veut dire : derrière la fontaine, belle vue sur les tortues… et les Alpes ? Les tortues et la montagne des Alpes , qu'est-ce que ça veut dire ?
Dana : Oui, oui ! Moi, je sais ! Je sais très bien où c'est, maintenant. Derrière la fontaine, il y a le jardin alpin. Dans ce jardin, les arbres viennent des Alpes. À côté de ce jardin, il y a la maison des tortues. La cache est à coté de ce jardin alpin et de la maison des tortues.
Émilien : Super, c'est parti !

page 89, activité 5

Le médecin : Bonjour Mathilde, comment ça va ?
Mathilde : Bonjour, euh… je ne me sens pas très bien, je suis malade.
Le médecin : Ah. Nous allons voir cela. Où as-tu mal ?
Mathilde : J'ai mal à la tête, aux oreilles et à la gorge.
Le médecin : Ouh là là, alors je vais regarder tes oreilles et ta gorge. Ouvre la bouche, montre-moi ta gorge. Très bien, maintenant, tes oreilles. Mm… ça va. Ce n'est pas grave.
Mathilde : Je peux aller à la fête ce soir alors ?
Le médecin : Oui, mais prends un bonnet et une écharpe pour couvrir ta tête, tes oreilles, ton nez et ta bouche !

▸ Leçon 4

page 90, activité 2

Voix off : *« Vous avez 2 nouveaux messages »*.
Jules : Ethan, c'est Jules. Je vais arriver en retard à la fête. Je viens de finir mon match de tennis. J'ai mal au pied et je vais chez le médecin. Mais, c'est sûr, j'apporte une tarte et des sodas. À tout à l'heure.

page 90, activité 3

Ethan : Louise, où es-tu ? Nous sommes au parc. Nous venons d'arriver. À l'entrée du parc, il y a une fontaine, c'est facile, nous sommes à côté de la fontaine.

Transcriptions

▶ Phonétique

page 94, activité 2

a. vendredi
b. fontaine
c. correspondant
d. français
e. anniversaire

page 94, activité 5

a. copain
b. italienne
c. jardin
d. maintenant
e. gigantesque

page 94, activité 8

a. Nous sommes dans ma chambre !
b. Où est la salle de bains ?
c. Je fais mon stage de 3ème dans une grande entreprise.
d. Tu viens à ma fête demain ?
e. Je suis sur les Champs-Élysées, j'arrive !

▶ Entraînements au DELF A1

page 98, Entraînement 1 exercice 1

Marie : Salut, moi je m'appelle Marie, je suis suisse et j'ai 16 ans et toi, comment tu t'appelles ?
Antoine : Salut, je m'appelle Antoine, je suis canadien, j'habite à Montréal et j'ai 17 ans. Et voici mon frère Marius, il a 15 ans.
Marie : Vous êtes frères ? Il est blond et il a les yeux bleus et toi tu es brun et tu as les yeux marron.
Antoine : Oui, notre mère est blonde et elle a les yeux bleus et notre père a les yeux marron et il est brun. Et notre petite sœur, et bien elle est brune et elle a les yeux bleus !

page 98, Entraînement 1 exercice 2

Chloé : Moi, je m'appelle Chloé, j'ai 16 ans, je te présente ma famille. Voici mes parents : Jacques mon père, il est médecin, il a 45 ans et Fanny ma mère, elle est infirmière et elle a 42 ans. J'ai deux frères : Paul a 12 ans et Florian a 13 ans. Ils se ressemblent beaucoup, ils sont bruns, petits, et ils ont les yeux verts. Nous sommes français mais nous habitons au Mexique. Nous parlons français, anglais et espagnol.

page 100, Entraînement 2 exercice 1

Femme : Tu peux nous parler de tes habitudes et de tes activités Max ?
Max : Oui, je suis en seconde au lycée, je me lève tous les matins à 7h. Je prends mon petit-déjeuner et je vais au lycée. Je commence les cours en général à 9h.
Femme : Et le soir, tu te couches à quelle heure ?
Max : À 22h.Je rentre du lycée, je retrouve mes copains au parc, et après je vais à la piscine à 18h faire de la natation. Je fais aussi du football le week-end et le mercredi.
Femme : Et le week-end, tu te lèves à quelle heure ?
Max : À 9h30 parce qu'à 12h, je vais déjeuner chez mes grands-parents tous les samedis avec mes parents et ma sœur.
Femme : Et le samedi après-midi, qu'est-ce que tu fais ?
Max : Et bien, je fais du football, nous avons un match tous les dimanches.
Femme : Et ta sœur, elle fait du sport ?
Max : Oui, elle fait de l'escalade et du tennis aussi.
Femme : Et bien vous êtes sportifs !
Max : Oui, ma mère fait de la natation et mon père fait du judo !

page 100, Entraînement 2 exercice 2

Garçon : Émilie, qu'est-ce que tu prends au petit-déjeuner ?
Émilie : Je bois du jus d'orange et je mange des tartines, avec du beurre.
Garçon : Et de la confiture ?
Émilie : Non, pas de confiture. Le dimanche, quand j'ai le temps, je prends des pancakes avec du sirop d'érable et des œufs brouillés avec du bacon. C'est un petit-déjeuner et un déjeuner en même temps ! Je mange aussi des fruits. Et toi ?
Garçon : Moi, je prends des céréales avec du lait et des tartines avec de la confiture.
Émilie : C'est tout ?
Garçon : Oui, et je bois aussi du café. Et pour le déjeuner, j'adore le tajine de ma mère. Elle cuisine d'excellents tajines à base de viande et de fruits, c'est délicieux.

page 102, Entraînement 3 exercice 1

Éric : Salut Manon, tu vas bien ?
Manon : Oui Éric et toi, ça va ?
Éric : Super, je pars au ski lundi prochain en Suisse avec ma classe.
Manon : Wouah ! Vous partez combien de temps ?
Éric : Nous restons une semaine là-bas, nous rentrons dimanche soir.
Manon : Et pourquoi tu es là ?
Éric : Et bien, je ne trouve pas mon bonnet et mon écharpe. Je dois acheter quelques vêtements pour mettre dans ma valise. Mais au fait, tu vas à la fête d'anniversaire de Jules ce soir ?
Manon : Oui bien sûr, je viens d'acheter son cadeau, regarde : une montre connectée, tu connais Jules, il adore les objets connectés, les derniers objets à la mode, les vêtements tendance…
Éric : Oui, c'est sympa. Nous, avec les copains de la classe, on vient d'acheter un super pull à la mode, pour le ski justement.
Manon : Et tu apportes quelque chose à boire ou à manger ?
Éric : Non, Jules s'occupe de tout, il fait des salades, des bagels, des sandwichs et il achète les boissons aussi.
Manon : Ah d'accord, moi j'apporte un dessert, un gâteau au chocolat pour son anniversaire et Louise apporte une tarte aux pommes.
Éric : Ok, bon à ce soir alors.
Manon : Oui, à ce soir.

page 102, Entraînement 3 exercice 2

Message 1
Julie : Rose, c'est Julie, est-ce que tu peux apporter des boissons à la fête ce soir ? Je viens d'acheter des fruits, des gâteaux, des sodas mais si tu peux apporter quelques boissons en plus c'est super. Merci.
Message 2
Élisa : Salut Florian, c'est Élisa. Pour la fête de ce soir, le rendez-vous est à côté du cinéma, à côté du métro Gambetta. C'est pas loin, tu prends la rue à droite derrière le parc et c'est juste devant la fontaine. À tout à l'heure.
Message 3
Tom : Sam, j'organise une fête pour mon anniversaire la semaine prochaine. C'est samedi soir, à partir de 20h. Tu peux venir avec des amis si tu veux.
Message 4
Charlotte : Jonathan, c'est Charlotte. Je suis désolée, je ne peux pas venir à ta fête ce soir, je suis malade, j'ai mal à la tête et aux oreilles. Je viens d'aller chez le médecin. J'espère que tu vas organiser une autre fête bientôt !

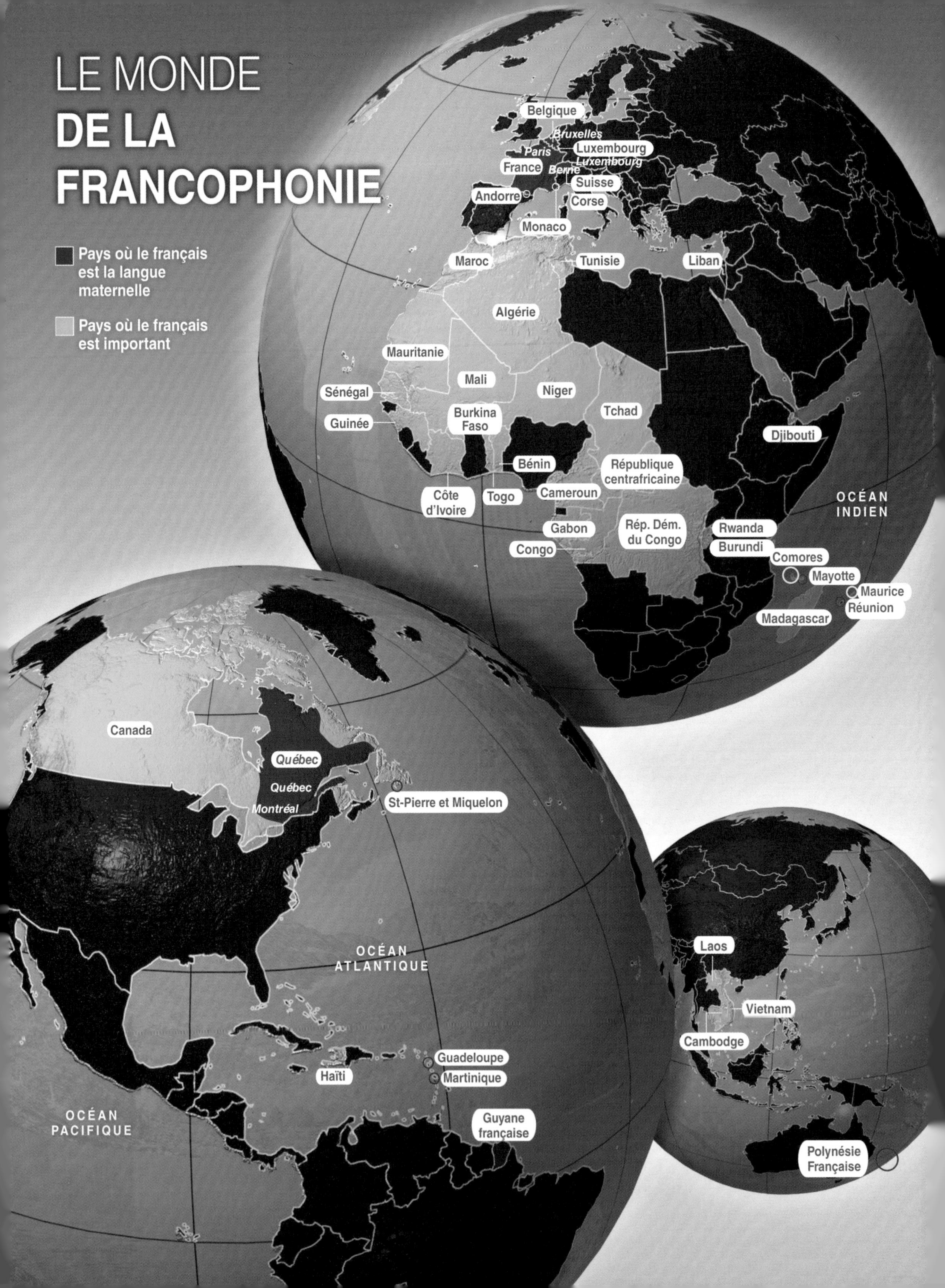
LE MONDE
DE LA
FRANCOPHONIE
Pays où le français est la langue maternelle
Pays où le français est important
Belgique
Bruxelles
Luxembourg
Paris
Luxembourg
France
Berne
Suisse
Andorre
Corse
Monaco
Maroc
Tunisie
Liban
Algérie
Mauritanie
Mali
Niger
Sénégal
Tchad
Burkina Faso
Guinée
Djibouti
Bénin
République centrafricaine
Côte d'Ivoire
Togo
Cameroun
OCÉAN INDIEN
Gabon
Rép. Dém. du Congo
Rwanda
Burundi
Congo
Comores
Mayotte
Maurice
Réunion
Madagascar
Canada
Québec
Québec
Montréal
St-Pierre et Miquelon
OCÉAN ATLANTIQUE
Laos
Vietnam
Cambodge
Guadeloupe
Haïti
Martinique
Guyane française
OCÉAN PACIFIQUE
Polynésie Française